THOMSON REUTERS PROVIEW

AF238320

¡ENHORABUENA!

USTED ACABA DE ADQUIRIR UNA OBRA QUE **YA INCLUYE**
LA VERSIÓN ELECTRÓNICA.
DESCÁRGUELA AHORA Y APROVÉCHESE DE TODAS LAS FUNCIONALIDADES

**Acceso interactivo a los mejores libros jurídicos
desde iPad, Android, Mac, Windows y
desde el navegador de internet**

THOMSON REUTERS

FUNCIONALIDADES DE UN LIBRO ELECTRÓNICO EN **PROVIEW**

SELECCIONE Y DESTAQUE TEXTOS
Haga anotaciones y escoja los colores para organizar sus notas y subrayados

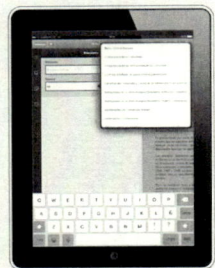

USE EL TESAURO PARA ENCONTRAR INFORMACIÓN
Al comenzar a escribir un término, aparecerán las distintas coincidencias del índice del Tesauro relacionadas con el término buscado

HISTÓRICO DE NAVEGACIÓN
Vuelva a las páginas por las que ya ha navegado

ORDENAR
Ordene su biblioteca por: Título (orden alfabético), Tipo (libros y revistas), Editorial, Jurisdicción o área del derecho, libros leídos recientemente o los títulos propios

CONFIGURACIÓN Y PREFERENCIAS
Escoja la apariencia de sus libros y revistas en ProView cambiando la fuente del texto, el tamaño de los caracteres, el espaciado entre líneas o la relación de colores

MARCADORES DE PÁGINA
Cree un marcador de página en el libro tocando en el icono de Marcador de página situado en el extremo superior derecho de la página

BÚSQUEDA EN LA BIBLIOTECA
Busque en todos sus libros y obtenga resultados con los libros y revistas donde los términos fueron encontrados y las veces que aparecen en cada obra

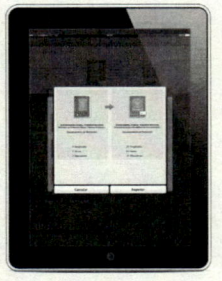

IMPORTACIÓN DE ANOTACIONES A UNA NUEVA EDICIÓN
Transfiera todas sus anotaciones y marcadores de manera automática a través de esta funcionalidad

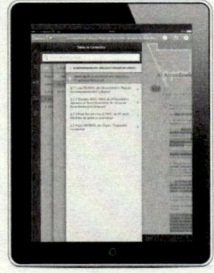

SUMARIO NAVEGABLE
Sumario con accesos directos al contenido

Estimado cliente,

Para acceder a la versión electrónica de este libro, por favor, acceda a **http://onepass.aranzadi.es**

Tras acceder a la página citada, introduzca su dirección de correo electrónico (*) y el código que encontrará en el interior de la cubierta del libro. A continuación pulse enviar.

Si se ha registrado anteriormente en **"One Pass"** (**), en la siguiente pantalla se le pedirá que introduzca la contraseña que usa para acceder a la aplicación **Thomson Reuters ProView™**. Finalmente, le aparecerá un mensaje de confirmación y recibirá un correo electrónico confirmando la disponibilidad de la obra en su biblioteca.

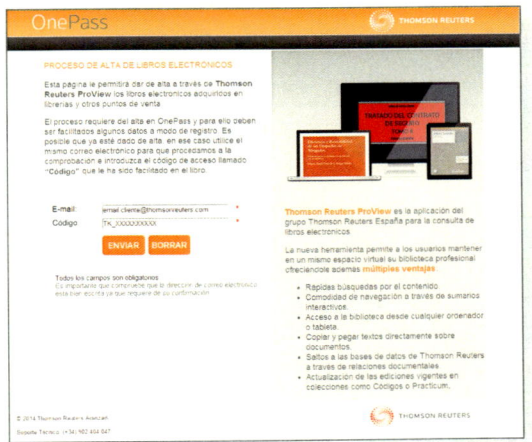

Si es la primera vez que se registra en **"One Pass"** (**), deberá cumplimentar los datos que aparecen en la siguiente imagen para completar el registro y poder acceder a su libro electrónico.

- Los campos **"Nombre de usuario"** y **"Contraseña"** son los datos que utilizará para acceder a las obras que tiene disponibles en **Thomson Reuters Proview™** una vez descargada la aplicación, explicado al final de esta hoja.

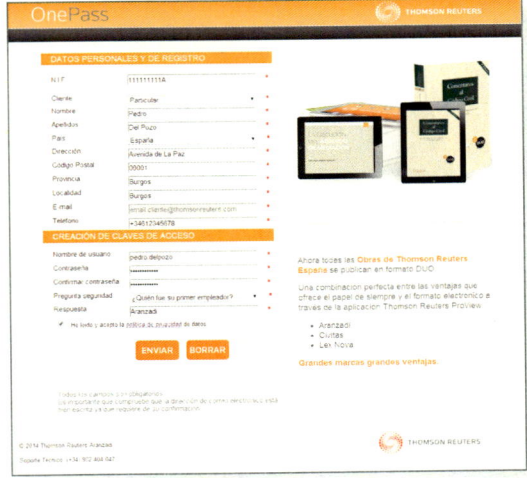

Cómo acceder a **Thomson Reuters Proview™:**
- **iPad:** Acceda a AppStore y busque la aplicación **"ProView"** y descárguela en su dispositivo.
- **Android:** acceda a Google Play y busque la aplicación **"ProView"** y descárguela en su dispositivo.
- **Navegador:** acceda a **www.proview.thomsonreuters.com**
- **Aplicación para ordenador:** acceda a **http://thomsonreuters.com/site/proview/download-proview** y en la parte inferior dispondrá de los enlaces necesarios para descargarse la aplicación de escritorio para ordenadores Windows y Mac.

(*) Si ya se ha registrado en **Proview™** o cualquier otro producto de Thomson Reuters (a través de One Pass), deberá introducir el mismo correo electrónico que utilizó la primera vez.

(**) **One Pass:** Sistema de clave común para acceder a Thomson Reuters Proview™ o cualquier otro producto de Thomson Reuters.

HISTORIA DE LOS GRADUADOS SOCIALES

CONSEJO GENERAL DE COLEGIOS OFICIALES DE
GRADUADOS SOCIALES DE ESPAÑA

HISTORIA DE LOS GRADUADOS SOCIALES

TERCERA EDICIÓN

Prólogo

RAFAEL CATALÁ POLO

Ministro de Justicia

CIVITAS

Tercera edición, 2016

Editorial Aranzadi, S.A.U.
Camino de Galar, 15
31190 Cizur Menor (Navarra)
ISBN: 978-84-9135-588-5
DL NA 2137-2016
Printed in Spain. Impreso en España
Fotocomposición: Editorial Aranzadi, S.A.U.
Impresión: Rodona Industria Gráfica, SL
Polígono Agustinos Calle A. Nave D-11
31013 - Pamplona

PRÓLOGO

Agradezco al Consejo General de Colegios Oficiales de Graduados Sociales la oportunidad que me ofrece de prologar este libro que condensa la historia reciente de esta importante profesión jurídica y de sus corporaciones: el Consejo General y los Colegios Profesionales. Es un nuevo honor que se suma al que ya tuve en diciembre de 2015 cuando me fue impuesta la Gran Cruz de la Justicia Social por el presidente, Javier San Martín Rodríguez.

A esta gratitud personal se une también la que me corresponde como Ministro de Justicia por el excelente trabajo que realizan los Graduados en todos los ámbitos en los que tienen presencia. Así lo demuestran las páginas que prosiguen a este prólogo, pues ofrecen al lector un trabajo minucioso de recopilación de información y síntesis, en una obra de referencia que es a su vez histórica y jurídica.

Hablar de los Graduados Sociales, es hablar de la Historia Contemporánea de España, pues el desarrollo de vuestra profesión y del Derecho del Trabajo discurre parejo al proceso de industrialización de nuestro país y la paulatina legislación laboral.

La *«Justicia Social»* constituye uno de los objetivos primordiales de la Organización Internacional del Trabajo, a cuya Carta fundacional se adhirió España en 1919. Comienza su preámbulo diciendo que *«la paz universal y permanente solo puede basarse en la Justicia Social»*. Esta historia, aunque centrada en el más de medio siglo de existencia de los colegios, nos recuerda que la primera norma en nuestro país con un contenido claramente laboral fue la llamada Ley Benot de 1873 sobre el trabajo infantil.

Pero antes de esa fecha ya hubo algunos intentos de ir tejiendo una normativa que regulara las relaciones laborales, siendo el año 1855 especialmente significativo gracias al labor del Presidente de las Cortes, Pascual Madoz y del ministro de Fomento, Francisco de Luxán. Se elaboró un proyecto de Real Decreto –que no llegó a ser presentado– que preveía la constitución de una Comisión para asistir al Gobierno en la adopción de medidas que favorecieran la relación entre trabajadores e industriales. Como decía su preámbulo, su finalidad era equilibrar *«las exigencias de los unos, los recelos y aprensiones de los otros»*, en definitiva *«la inquietud y la ansiedad de todos»*.

Hoy en día, la importancia de este sector del Derecho queda patente en la atención permanente que le dedica el legislador. Cabe mencionar, por tratarse de normas tan relevantes, el Real Decreto Legislativo 2/2015, de 23 de octubre, por el que se aprueba el texto refundido de la Ley del Estatuto de los Trabajadores; y el Real Decreto Legislativo 8/2015, de 30 de octubre, por el que se aprueba el texto refundido de la Ley General de la Seguridad Social.

También la profesión de graduado social ha estado presente en las reformas impulsadas desde el Ministerio de Justicia. De hecho, quiero destacar que en todo este procedimiento han participado activamente, a través del Consejo Superior y de los Colegios Profesionales, pues las reformas legislativas emprendidas por el Gobierno, se han caracterizado por la búsqueda del diálogo y el acuerdo.

Se trata, por tanto, de reformas de gran calado no solo desde el punto de vista jurídico sino también desde el punto de vista social, de cambio en las formas y en el modo de trabajar de los operadores que interactúan con la Administración de Justicia. Muestra de ello es el Real Decreto 1065/2015, de 27 de noviembre, sobre comunicaciones electrónicas en la Administración de Justicia en el ámbito territorial del Ministerio de Justicia y por el que se regula el sistema LexNET. Se integra, como no podía ser de otra forma, a los Graduados Sociales entre los profesionales de la justicia que tienen la obligación de utilizar los sistemas electrónicos existentes en la Administración de Justicia para la presentación de escritos y documentos y para la recepción de actos de comunicación. Sabemos que contamos con la colaboración y la implicación de los graduados sociales en este empeño colectivo por modernizar y agilizar la justicia española a través de la utilización de las nuevas tecnologías.

Otras modificaciones han situado a la profesión y por mandato legal en el rango que le corresponde conforme a las funciones y atribuciones que han venido desarrollando en relación con la justicia. Así, la Ley Orgánica 7/2015, de 21 de julio, por la que se modifica la Ley Orgánica 6/1985, de 1 de julio, del Poder Judicial introduce una modificación expresa que afecta a los graduados sociales, en concreto viene a señalar en la letra l) del artículo 497 que los funcionarios de la Administración de Justicia estarán obligados a tratar con corrección y consideración a los superiores jerárquicos, compañeros y subordinados, así como a Abogados, Procuradores y Graduados Sociales.

Otra referencia significativa introducida por dicha Ley Orgánica es la inclusión expresa de los graduados sociales, junto con abogados y procuradores, entre los profesionales que, antes de iniciar su ejercicio profesional, prestarán juramento o promesa de acatamiento a la Constitución y al resto del ordenamiento jurídico.

Toda esta transformación pasa también por una Justicia que comparte retos con quienes colaboran con ella a diario. En este sentido, la reforma de la Ley de Enjuiciamiento Civil operada por la Ley 42/2015 de 5 de octubre recoge expresamente la habilitación al Gobierno para impulsar una ley que establezca los requisitos de capacitación para el ejercicio por los graduados sociales de las competencias que les atribuye la Ley de Jurisdicción Social. Todo ello acompañado de la elaboración de los correspondientes estudios sobre los desarrollos normativos necesarios, para que, entre otros objetivos, permita, en el futuro, la adaptación del marco legal vigente para el acceso de los graduados sociales al sistema de representación técnica gratuita. Caminamos juntos y para eso unimos nuestras fuerzas, cimentadas desde la Ley, desde el Derecho y desde la Justicia.

Recordaba el presidente del Consejo, Javier San Martín, en el acto de imposición de la Gran Cruz de la Justicia Social al Rey Juan Carlos, que esas dos palabras –la Justicia Social– representa para los graduados «una filosofía de vida».

Ahora, cuando se cumplen sesenta años desde la creación de los primeros Colegios, se presenta esta Historia que el lector tiene en sus manos, que deja constancia en negro sobre blanco de la trayectoria colectiva de decenas de miles de Graduados Sociales, que han dedicado y dedican su vida profesional a la defensa de la Justicia Social.

Rafael CATALÁ POLO
Ministro de Justicia

INTRODUCCIÓN

El Colectivo de Graduados Sociales ha conseguido en la Sociedad Española un espacio perfectamente definido que tiene por contenido el Derecho y por continente el Derecho del Trabajo y de la Seguridad Social.

Nunca en la historia de nuestro país una profesión jurídica ha obtenido tanto reconocimiento como el Graduado Social en tan poco espacio de tiempo.

En sus orígenes estaba la necesidad apremiante de dar una formación más acorde con el proceso evolutivo que nuestro país estaba explorando, a los trabajadores. Así las escuelas de formación de los Graduados Sociales (Escuelas Sociales), vieron la luz en el año 1925.

Tras una larga paralización de las enseñanzas debido fundamentalmente a la Guerra Civil Española durante el periodo comprendido entre 1936 al 1939, se reanudaron los estudios de Graduado Social en las Escuelas Sociales para dar lugar al nacimiento de una nueva profesión, completa, técnica, y de conocimiento. Así en el año 1955 y siguientes, con la constitución de los primeros Colegios Profesionales, se consolidó esta profesión que a nivel nacional gestiona e interviene más del 80% de las pequeñas y medianas empresas. Nuestro Colectivo en la década de los sesenta y de los setenta creció de forma exponencial en todo el territorio, hasta alcanzar prácticamente los veinticinco mil colegiados, que en la actualidad formamos parte de esta gran familia profesional. Nuestro Colectivo dio lugar a que muchos funcionarios de la Administración General del Estado, las Administraciones Locales, trabajadores de grandes empresas, Renfe, Telefónica y un largo etc... conmutaran o compartieran en ocasiones su posición con el ejercicio de la profesión, asesorando a las pymes que forman parte del tejido empresarial de este país y contribuyendo a que la liquidación de los Seguros Sociales fuera una garantía de seguridad, tanto en recaudación para el Estado como en el cobro de las prestaciones derivadas de la cotización para el trabajador.

Nuestra profesión, la profesión de Graduado Social, es sinónimo de garantía y de eficacia.

En los años de la gestación de la Constitución Española, tras el desarrollo social de nuestro país con la muerte de Franco, en el Derecho del Trabajo, la necesidad de conocer los derechos de los trabajadores, el sindicalismo, la novedad social de los sindicatos, era ante todo, algo nuevo, algo necesario, cuya contribución al desarrollo de este país ha sido un valor seguro.

Aquí también estuvimos los Graduados Sociales, la mayoría de las asesorías jurídicas de las centrales sindicales, especialmente en la Unión General de Trabajadores y en Comisiones Obreras, tuvieron como asesor algún Graduado Social.

Fue siempre una constante en el Colectivo, la poca imagen de marca que tenemos ante la sociedad, sin embargo el Consejo General de Colegios Oficiales de Graduados Sociales de España, en manos de uno de los Presidentes más reivindicativos, Francisco Rojo, adquirió un protagonismo muy especial en la década de los noventa ante la Tesorería General de la Seguridad Social. Gracias a su empeño y a la labor del Colectivo, España pudo sacar adelante el Sistema Red y con ello al propio Graduado Social que en aquel momento se veía inmerso en un momento de cambio de modernización de nuevas tecnologías. El verdadero desarrollo comenzó en el año 2004, cuando el Gobierno de la Nación, y en concreto el Ministerio de Justicia, en cuya Secretaría de Estado se encontraba el actual Ministro de Justicia, D. Rafael Catalá Polo, reconoció a nuestro Colectivo que la labor que hacemos no era una labor baladí sin consecuencias, era una labor técnica. A partir de aquí con la modificación aparecida en el artículo 540 de la LOPJ del año 2004, el Colectivo de Graduados Sociales asume un status más elevado que el que venía disfrutando, pues el Gobierno había reconocido que su labor no era una representación normal, sino una Representación Técnica.

Con posterioridad vino el Recurso de Suplicación, a través de la reforma de la legislación procesal para la implantación de la nueva Oficina Judicial, en la Ley 13/2009, de 3 de noviembre. Más adelante el cambio de la Ley Reguladora de la Jurisdicción Social y por último vio la luz la Ley Orgánica 7/2015, de 21 de julio, por la que se modifica la Ley Orgánica 6/1985, de 1 de Julio, del Poder Judicial, donde al Colectivo de Graduados Sociales se le trata como en justicia se merece, es decir con la misma autoridad y con la misma obligación que al resto de los operadores jurídicos.

Este libro recoge la Historia del Colectivo desde su creación y hasta el año 2016, fecha ésta en la que se abre una enorme expectativa para nuestra profesión con la Reforma de la Ley de Asistencia Jurídica Gratuita y en la ilusión de conseguir la firma de los Recursos de Casación ante el Tribunal Supremo.

Creo que este libro es un texto que debemos de tener siempre a disposición de todo aquel que ha creído en una profesión apasionante y digna de elogio, que se ha hecho a sí misma, sin ayuda, o con la ayuda de otros que sin ostentar el título han confiado en todos nosotros.

A todos sin excepción, a todos, mi más sincero agradecimiento.

Javier SAN MARTÍN RODRÍGUEZ

Presidente del Consejo General de Graduados Sociales de España y de la Fundación Justicia Social.

I

PRIMERA ETAPA (1925-1956). DEL NACIMIENTO DE LA ESCUELA SOCIAL A LA CREACIÓN DE LOS COLEGIOS PROFESIONALES DE GRADUADOS SOCIALES(*)

El Consejo General de Colegios Profesionales de Graduados Sociales, que afrontó una labor semejante cuando celebró el cincuenta aniversario de la creación de los primeros Colegios de Graduados Sociales en España –mediante la Orden del Ministerio de Trabajo de 30 de octubre de 1956–, quiere asumir ahora el compromiso de actualizar la Historia de los Graduados Sociales para continuar honrando la labor de cuantos en algún momento han pertenecido al colectivo y contribuido a la consolidación y el prestigio de la profesión, al tiempo que para mostrar los logros que este colectivo está alcanzando y las cuestiones pendientes que aún restan por abordar.

Al afrontar dicha tarea, cabe apreciar cómo los hitos que jalonan la historia de unos y otros vienen a coincidir con la sucesión de regímenes políticos de signo diverso, a lo que obedece la estructura de la obra. Dejando al margen momentos pretéritos en el tiempo, el discurso ha de principiar con la obligada alusión a la decadencia del liberalismo, pensamiento acogido por la burguesía y capaz de impregnar con los principios de libertad y no intervencionismo público cualquier ámbito de la vida, en donde la legislación laboral brilla por su ausencia debido a la consideración del trabajo como una actividad escasamente noble y, en su gran mayoría, caracterizada por la falta de voluntariedad de quienes prestaban servicios.

La revolución industrial alteró profundamente los antiguos sistemas de producción con la aparición de las máquinas y otros medios técnicos innovadores. El trabajo pasa a ser libre y asalariado pero, por el contrario, implica un frecuente desconocimiento de derechos esenciales por la aparición de problemas ya conocidos como las retribuciones insuficientes, las jornadas excesivas, la explotación de mujeres y menores , lo cual desemboca en la expansión de una nueva clase «proletaria», indefensa y entregada al libre juego de la oferta y la demanda, que no tardará en tomar

---

(*)   Epígrafe elaborado por el Prof. Dr. José Gustavo Quirós Hidalgo. Universidad de León.

conciencia de su extraordinaria fuerza. Por su parte, los poderes públicos proceden no sólo a delimitar y diferenciar un nuevo «contrato de trabajo» del tradicional «arrendamiento de servicios», sino que también comienzan a regularlo para evitar los abusos del patrono mediante un elenco de reglas sustantivas, orgánicas y procedimentales específicas y diferentes a las comunes que rigen la figura civil.

La denominada «cuestión social», en referencia al fenómeno de la inquietud y sensibilización por el conjunto de esos problemas políticos y sociales originados en el mundo del trabajo en los albores de la industrialización, consiguió extraer el remedio del mal, pues los trabajadores comenzaron a unir sus fuerzas en la defensa de nobles intereses y el Estado, ante el peligro que para el orden público representaba una muchedumbre agriada por la penuria, aumentó su intervención en estos asuntos, comenzando por los más desvalidos, pasando a regular la jornadas, el descanso dominical, los riesgos profesionales Buen ejemplo de ello es la creación de la Comisión de Reformas Sociales por Real Decreto de 5 de diciembre de 1883, destinada al «estudio de todas las cuestiones que directamente interesan a la mejora y bienestar de las clases obreras, tanto agrícolas como industriales y afectan a las relaciones entre el capital y el trabajo».

Así las cosas, la fecha a la cual tradicionalmente se atribuye el nacimiento del Derecho del Trabajo en España viene dada por la Ley de 24 de julio de 1873 (Ley Benot), sobre trabajo de menores. Desde entonces, y hasta 1917, la normativa laboral y social está lejos de constituir un auténtico acervo especializado o un sistema jurídico propio y autónomo, con el agravante de no suponer efectivamente una mejora de la condiciones de trabajo, lo cual aumentará la conflictividad en sucesos como la Semana Trágica de Barcelona de 1909. En cualquier caso, la actividad legislativa ofrece muestras reseñables –como la Ley de Accidentes de Trabajo en la Industria de 30 de enero de 1900 o la Ley de Huelgas de 27 de abril de 1909– y da vida a instituciones de radical trascendencia para el futuro como la Inspección de Trabajo (Real Decreto de 1 de marzo de 1906), los Tribunales Industriales (Ley de 19 de mayo de 1908, convirtiendo el proceso civil en laboral), el Instituto Nacional de Previsión (Ley de 27 de febrero de 1908, expresando la finalidad de «difundir e inculcar la previsión popular, especialmente la realizada en forma de pensiones de retiro») o el Instituto de Reformas Sociales (Real Decreto de 23 de abril de 1903); este último encargado de «preparar la legislación del trabajo en su sentido más amplio, cuidar de su ejecución, organizando para ello los necesarios servicios de inspección y estadística, y favorecer la acción social y gubernamental en beneficio de la mejora o bienestar de las clases obreras».

Avanzando un paso más, la agonía política de la Restauración (1917-1923) coincide, en cambio, con una primera fase de formación del Derecho del Trabajo, pues disfruta de un incipiente pero verdadero y coherente propósito unificador y sistematizador. La Guerra Mundial, la Revolución Rusa y la huelga general continúan propiciando un clima de confrontación obrera necesitada de respuestas (con ejemplos paradigmáticos como las revueltas de los labradores extremeños y andaluces entre 1918 y 1921). Ven la luz los Reales Decretos de 11 de marzo de 1919, implantando el retiro obrero; de 15 de marzo de 1919, limitando la jornada; de 8 de mayo de 1920, creando el Ministerio de Trabajo; o, entre muchas otras normas, el de 20 de noviembre de 1919, estableciendo un plan de seguros sociales para que la labor del Instituto Nacional de Previsión «se mueva por cauces de sistemático ordenamiento, con el fin de darle mayor eficacia».

En aquel momento, el conjunto de normas con incidencia laboral parecían excesivas para una sociedad necesitada de formación, cultura e instrumentos de conocimiento, y carente hasta 1900 de un Ministerio encargado de la instrucción pública. Por su parte, la Universidad, configurada principalmente en beneficio de aquellas personas con suficiente capacidad económica para costearla, excluía a una gran parte de la población, sin olvidar la penuria de estudios universitarios de carácter social.

La Restauración monárquica finaliza con el golpe de Estado y la consiguiente Dictadura del General Primo de Rivera. El estudio de las relaciones laborales de esta época refleja una creciente y más acusada intervención del Estado a la experimentada hasta entonces –pero continuadora de la indicada con anterioridad–, en un intento de atraer a las clases obreras mediante la regulación de las condiciones de trabajo y el incremento de la política social, todo ello sin perder el control político-social e imponiendo una férrea disciplina.

Fruto de ello, como hitos más significativos, cabe mencionar la inclusión de nuestro país en la Organización Internacional de Trabajo con la ratificación de sus primeros convenios y la promulgación de normas como el Código de Trabajo mediante Real Decreto Ley de 23 de agosto de 1926 (un interesante intento de unificar y codificar el Derecho del Trabajo, a pesar de haber sido calificada como «una recopilación no completa y carente de innovaciones») o la Ley de 22 de marzo de 1929, sobre el seguro de maternidad.

En este contexto, donde el Derecho del Trabajo daba sus primeros pasos y surgía la imperiosa necesidad de difundir su conocimiento, brotó la iniciativa de crear en el Instituto de Reformas Sociales una «Sección de Cultura y Acción Social» que pasaría a depender directamente en breve tiempo del Consejo de Cultura Social del Ministerio de Trabajo con el carácter de una «Escuela Social», origen más remoto de los actuales Colegios de Graduados Sociales. El Real Decreto de 17 de agosto de 1925, –firmado por D. Antonio Magaz y Pers–, encargado de reglamentar y desarrollar estos centros, los consideraba destinados a «vivificar la cultura social, en tiempos en los que lo social adquiere dimensiones universales con sus problemas y luchas».

En similar sentido, aunque tal vez con más altas miras, cabe recordar el testimonio de uno de sus promotores, D. Eduardo Aunós, Ministro de

Trabajo: «la Escuela Social era una necesidad sentida por los espíritus se-
lectos de nuestra Patria, por aquellos que consumieron lo más florido de
su existencia en mejorar los destinos de los humildes. No sería social la
Escuela si no se inspirase en esos principios de Justicia y Paz, que constituyen el cimiento de todas las relaciones humanas. Aspiramos a que en ella
aprendan todos a sentirse enlazados en una comunidad de fines y cada
vez más unidos en el conjunto armónico de la colectividad a la que perte-
necen; alentamos a que impere en las relaciones una cordial inteligencia
que, sumando esfuerzos paralelos, fundan en un mismo molde actividades
valiosísimas que, de otro modo, podían anular su eficacia».

Bajo un tenor tan amplio como el anterior, los propósitos eran, en realidad, mucho más simples pero no menos nobles, tales como facilitar a los
trabajadores unos conocimientos fundamentales sobre las normas jurídicas que regulaban el contrato de trabajo, actuar como centro de «especialización» en asuntos laborales y de Seguridad Social para cuantos no tenían
acceso a la Universidad, interesar y sensibilizar a los intelectuales con los
problemas de las clases trabajadoras o, en fin, formar a los funcionarios de
la Administración laboral.

Las Escuelas Sociales suponían una novedad en la docencia española, si
bien su historia muestra una clara situación de marginación legal e institucional, al no insertarse hasta fecha muy reciente en el conjunto del sistema
educativo universitario. La primera de ellas, modelo para las creadas posteriormente [por ejemplo, la de Barcelona (Real Orden de 26 de febrero
de 1929), Valencia (Real Orden de 18 de junio de 1929), Granada (Orden
de 5 de noviembre de 1946, a partir de un previo seminario de Estudios
Sociales creado por Orden de 19 de junio de 1943), Oviedo y Salamanca
(Órdenes de 17 de julio de 1943, en el segundo caso también a partir de
un preexistente Seminario encuadrado en la Universidad Literaria), Zaragoza (Orden de 11 de octubre de 1945)], fue la de Madrid en el curso
1925/1926, ejerciendo su magisterio destacadas personalidades como D.
Leopoldo Palacios Morini, D. Francisco Rivera Pastor, D. Pedro Sangro y
Ros de Olano, D. Álvaro López Núñez, D. José Antonio Artigas Sanz, D.
Eugenio D'Ors, D. Juan Dantin Cereceda, D. León Martín Granizo o D.
Mariano González-Rothvoss; todos ellos expertos conocedores de las más
diversas ramas pertenecientes a las ciencias jurídicas, sociales y humanísti-
cas, cuyas enseñanzas se completaban con idiomas y taquigrafía. No obstante, en esta primera época, los planes de estudio sufrieron innumerables
alteraciones, a través del Real Decreto Ley de 7 de septiembre de 1929,
Decreto de 19 de octubre de 1930, Orden de 31 de octubre de 1931, Orden
de 12 de septiembre de 1935 y Orden de 29 de diciembre de 1941.

En un primer momento, las enseñanzas (impartidas a cuantos alumnos
fueran mayores de 16 años, hubieran superado la enseñanza primaria y
formalizaran la matrícula con el abono de los derechos oportunos) quedaron divididas en tres cursos regulares, a cuya finalización se expedía un
certificado o Diploma de estudios de la Escuela Social, si bien la Real Or-

den de 12 de agosto de 1926 creó los títulos de «Graduado de la Escuela Social» para quien completara los tres años y «Graduado superior de la Escuela Social» de haber seguido un año más de estudios mediante cursos de perfeccionamiento, de donde deriva la posterior denominación de «Graduado Social».

La II República, proclamada tras las elecciones municipales de abril de 1931, constituyó la válvula de exteriorización de todo el reformismo acumulado y contenido durante muchos años en la historia político y social de España y, en el terreno puramente laboral y social, propició una intensa actividad legislativa. En este sentido, la propia Constitución de 1931 definía a España como una «República democrática de trabajadores de toda clase, que se organiza en régimen de libertad y de justicia», reconociendo la libre asociación y sindicación conforme a las Leyes del Estado y fijando un auténtico programa de actuación en la materia. Aun cuando en muchos casos, y por variados motivos, existió un gran abismo entre la letra de la ley y su aplicación efectiva en la vida diaria, algunas disposiciones fundamentales de esta época fueron, entre otras, la Ley de Contrato de Trabajo de 21 de noviembre de 1931, Ley de 9 de septiembre de 1932, de jornada máxima legal, Ley de 27 de noviembre de 1931, de creación de los Jurados Mixtos, Ley de 8 de abril de 1932, sobre asociaciones de patronos y obreros o Ley de Bases de Enfermedades Profesionales de 13 de junio de 1936. Por otra parte, se crean tanto la Sala de Cuestiones Sociales del Tribunal Supremo (la VI, por aquel entonces) en 1931 como el Tribunal Central de Trabajo en 1935, aun cuando no llegó a constituirse *de facto* hasta fechas posteriores debido a la contienda bélica.

En cuanto a las Escuelas Sociales, hubo un intento por alejarlas del dominio del Ministerio de Trabajo para hacerlas depender del de Instrucción Pública y Bellas Artes (Decreto de 21 de julio de 1933), si bien el Decreto de 12 de octubre del mismo año derogó tal previsión y supuso un retorno a sus orígenes. Por lo demás, seguían impartiendo sus enseñanzas y difundiendo el estudio de las cuestiones sociales con mayor ímpetu, conforme atestigua la Orden de 5 de septiembre de 1931, que disponía la matrícula gratuita para los obreros «que quieran seguir los cursos regulares que se exigen para obtener el diploma de graduado y graduado superior» y permitía la asistencia como oyentes a las Cátedras a cuantos lo solicitaran. Ampliando lo anterior, y como expresivamente reconocía la Exposición de Motivos, «el espíritu esencialmente democrático en que ha de inspirarse la labor docente de las Escuelas Sociales exige, para llenar fielmente su cometido, el facilitar a los obreros que quieran dedicar los ocios que les deje libres la jornada de trabajo, al fin cultural que aquéllas persiguen, la posibilidad de seguir los estudios que se cursen en estas Escuelas».

La situación comienza a virar con los comicios de 1933 –abiertos, por primera vez en nuestra historia, al sufragio femenino– y el triunfo de la Confederación Española de Derechas Autónomas de Gil Robles y del centro liderado por Lerroux. Temiendo una radicalización, la izquierda, bajo la dirección del PSOE, decide tomar la iniciativa y asaltar el poder, movilizando a la población con la huelga general de 1934, transformada luego en insurrección popular (con famosos pasajes como la «Revuelta Asturiana»). La brecha patente desde hace tiempo parece agrandarse y alejar a los españoles del camino del entendimiento, pues tras la caída del gobierno y el triunfo electoral del Frente Popular en las nuevas elecciones de 1936, resultó imposible enderezar la situación y frenar las ansias de revolución social. Como consecuencia, las posiciones se extreman, el líder de la Derecha, José Calvo Sotelo, es asesinado y se desencadena la barbarie, descrita en pocas y certeras palabras por García de Cortázar: «la guerra civil, sangre relatada de muchas guerras enconadas en el corazón de España, combate de apasionados de izquierdas y derechas, lucha de fascistas y comunistas, de monárquicos y republicanos, de católicos y ateos, de separatistas y centralistas, de campesinos hambrientos y terratenientes rapaces, vaivén de crímenes y campos de batalla, vaivén de rabia que era el adiós a la ilusión republicana, que era el naufragio de la razón, cubrió aquel verano de miradas de muerte. Tres años de enfrentamiento se llevarían por delante seiscientas mil vidas y dejarían por el camino buena parte de la riqueza material e intelectual de España».

Durante la contienda bélica, la existencia de dos bandos significa una dualidad legislativa sorprendentemente paralela, pese a contar, en buena lógica, con premisas contrapuestas de raíz y tender, una y otra, a metas diferenciadas: «conservar la legislación precedente, con los retoques y condicionamientos precisos, por la parte republicana; crear, ex novo, con vistas a programas renovadores, un sistema propio, por la parte nacional» (De la Villa Gil).

A su conclusión, comenzará una dictadura con dos períodos bien diferenciados, el primero de ellos iniciado con la promulgación del Fuero del Trabajo, mediante Decreto de 9 de marzo de 1938, y que abarca hasta mediados de los años 50 del siglo XX, caracterizada por el intervencionismo estatal centralizador y autoritario. En esta época ven la luz normas como el Reglamento General de Seguridad e Higiene en el Trabajo de 1940; las Leyes de 26 de enero de 1940, de 6 de diciembre de 1940 y de 23 de junio de 1941, sobre unidad sindical, organización y clasificación, que vetaban cualquier asociación encaminada a defender o representar total o parcialmente intereses económicos o de clase y prohibían (bajo sanciones penales) las huelgas de obreros, institucionalizando el sindicato vertical, a la postre único y obligatorio y convertido en muro de contención para los trabajadores y en burocracia inservible para el colectivo empresarial; la Ley de Contrato de Trabajo del 1944, complementada con las Reglamentaciones de Trabajo, nacidas al calor de la Ley de 16 de octubre de 1942, que atribuía a la exclusiva competencia del Ministerio de Trabajo su aprobación, aplicación e inspección, luego sustituidas por las Ordenanzas Laborales; en materia de Seguridad Social, la Ley de 14 de diciembre de 1942 implantó, por primera vez con tal carácter, el seguro obligatorio de enfermedad, allanando el terreno para un futuro sistema de Seguridad Social, trasunto del «seguro total» ansiado y anunciado tanto por el Fuero del Trabajo como por el Fuero de los Españoles de 17 de julio de 1945.

Por lo que a las Escuelas Sociales hace, la Guerra Civil había supuesto un parón en su prolífica labor, en tanto en cuanto la Orden de 14 de octubre de 1935 y el Decreto de 30 de octubre del mismo año, como consecuencia de la Ley de Restricciones, habían tomado la determinación de suspender las existentes en provincias, si bien siguieron funcionando por petición expresa las de Barcelona (Orden de 23 de diciembre de 1935) y las de Valencia, Zaragoza, Granada y Sevilla (Orden de 29 de febrero de 1936). Mediante la Orden de 4 de marzo de 1940, sin embargo, se declararon subsistentes la Escuelas Sociales bajo determinadas condiciones, quedando ahora subordinadas a la Subsección de Estudios Sociales creada en la Sección de Estudios y Publicaciones del Ministerio de Trabajo, la cual, según la Orden de 10 de junio de 1941 cuidaría de las relaciones con los organismos de esta naturaleza existentes en España.

Algo más tarde, la Orden de 29 de diciembre de 1941 aprobaría el Reglamento de las Escuelas Sociales y un nuevo plan de estudios, donde el Diploma que acredita un saber se convierte –realmente y no en el papel, como intentos anteriores– en Título que faculta para ejercer las funciones profesionales que le son propias. Tal vez por ello es constatable una mayor (y creciente) exigencia docente y un plan de estudios más perfeccionado repartido en tres cursos académicos, al finalizar los cuales había que redactar una tesina bajo la dirección de un profesor de la Escuela.

Además, continúan siendo patentes los intentos de integrar esta modalidad de docencia en la Ley General de Educación, esfuerzos que no alcanzaron su logro. No obstante, un significativo cambio de *status* tiene lugar al asimilar a los estudiantes de las Escuelas Sociales con los universitarios, implantando la afiliación obligatoria al sindicato español universitario (Orden de 14 de marzo de 1945), con la consecuente posibilidad de acceder a la Instrucción Premilitar Superior (Decreto de 9 de agosto de 1946).

En diciembre de 1948 –época en la cual funcionaban las Escuelas Sociales de Madrid, Barcelona, Oviedo, Granada, Salamanca, Zaragoza y Santiago– se celebra la I Semana Social de Graduados Sociales de España, agrupados por aquel entonces en una Asociación Nacional, presidida por Don Marcelo Catalá, pero sin reconocimiento colegial. Será el Decreto de 22 de diciembre de 1950 el encargado de regular la gestión de los Graduados Sociales declarando obligatoria la inscripción en el Colegio respectivo, argumentando cómo «la existencia de un amplio número de Graduados Sociales, de un parte, y de otra, la complejidad indudable de nuestra avanzada legislación de trabajo y seguros sociales, aconseja utilizar al máximo posible la colaboración con aquellos elementos de los que sólo beneficios tangibles cabe esperar, fundamente en la gestión y asesoramiento de los problemas de índole social, bien realizada a favor de los particulares interesados, bien al servicio de empresas y entidades, siquiera sobre la base ineludible de constituir previamente órganos adecuados de colegiación y de reglamentar la actuación profesional de cuantos lo integren».

Por tal motivo, ordenaba la creación de un Colegio Oficial de Graduados Sociales en todas las capitales de provincia donde existiera Escuela Social, donde deberían preceptivamente inscribirse los Graduados Sociales para el ejercicio de su profesión, y una Junta Central de Colegios de Graduados Sociales, constituida por primera vez y de forma efectiva mediante la Orden de 1 de mayo de 1951, presidida por D. José Pérez Serrano. No obstante, el Colegio Oficial de Gestores Administrativos de Madrid, temeroso de perder sus competencias y privilegios ante un creciente y pujante colectivo, interpuso contra la citada norma recurso contencioso-administrativo, por lo que transitoriamente aquellas disposiciones quedaban sin efecto alguno.

Tras varios años de avatares judiciales, el conflicto concluyó con la resolución firme recaída en la conocida sentencia del Tribunal Supremo de 14 de diciembre de 1955. Bajo su amparo, y haciendo uso de la facultad de desarrollo reglamentario que disponía el artículo 4 de la norma de 1950, la Orden de 21 de mayo de 1956 aprobó el Reglamento de los Colegios Oficiales de Graduados Sociales –el primero de los que han regulado el funcionamiento colegial–, donde precisaba sus cometidos, organización y reglas de actuación, así como el régimen económico (si se permite la anécdota, siendo los ingresos, junto a las preceptivas fianzas, las multas a los colegiados y las cuotas –«revisables»– de ingreso de 100 pesetas y la mensual de 20 o 5 según se estuviera o no en ejercicio) y disciplinario y las condiciones de adquisición (siendo necesario para el ingreso ser mayor de edad y, entre otros requisitos, «acreditar buena conducta y reconocida probidad») y pérdida de la posición de colegiado; al tiempo, modelaba el diseño de los órganos rectores, aludiendo a Comisiones con diversas finalidades y a las Juntas Directivas, General y Central.

En cualquier caso, será la Orden comunicada del Ministerio de Trabajo de 30 de Octubre de 1956 la norma que legal, oficial y definitivamente disponga la creación de los Colegios Oficiales de Graduados Sociales; para mayor conmemoración y homenaje a su quincuagésimo aniversario, parece conveniente reproducir literalmente su contenido.

«Aprobado el Reglamento de los Colegios Oficiales de Graduados Sociales, por Orden de 21 de Mayo de 1956 y prevista su constitución en el artículo 1.º del Decreto de 23 de diciembre de 1950, en aquellas capitales de provincia o localidades donde exista Escuela Social, se hace preciso fijar la demarcación territorial de cada uno de ellos, a tal efecto. Vista la propuesta del Servicio de Estudios y Formación Social, y en uso de la facultad que le confiere el artículo 4.º del Decreto citado.

Este Ministerio se ha servido disponer se constituyan Colegios Oficiales de Graduados Sociales, cuya denominación, capitalidad y jurisdicción territorial se señalan a continuación:

ANDALUCÍA. Capital en Granada. Comprende Almería, Cádiz, Córdoba, Granada, Huelva, Jaén, Málaga, Las Palmas de Gran Canarias, Santa Cruz de Tenerife y Sevilla.

CANTÁBRICO. Capital en Oviedo. Comprende Guipúzcoa, León, Oviedo, Santander y Vizcaya.

CASTILLA. Capital en Madrid. Comprende Burgos, Ciudad Real, Cuenca, Guadalajara, Madrid, Palencia, Segovia, Valladolid, Toledo y Vitoria.

CATALUÑA. Capital en Barcelona. Comprende Barcelona, Baleares, Gerona, Lérida y Tarragona.

EBRO. Capital en Zaragoza. Comprende Huesca, Logroño, Navarra, Soria, Teruel y Zaragoza.

EXTREMADURA. Capital en Salamanca. Comprende Ávila, Badajoz, Cáceres, Salamanca y Zamora.

GALICIA. Capital en Santiago de Compostela. Comprende Coruña, Lugo, Orense y Pontevedra.

LEVANTE. Capital en Valencia. Comprende Albacete, Alicante, Castellón de la Plana, Murcia y Valencia».

Para concluir esta primera fase, resta únicamente aludir a los cometidos desempeñados por el colectivo de Graduados Sociales. Así, desde la creación de las Escuelas Sociales sus funciones propias y típicas vinieron marcadas por un variado elenco de disposiciones legales. En cualquier caso, se trata de una evolución particularmente atípica, pues primero fue el órgano, la Escuela Social, y luego la función que hubo de buscarse para los egresados de esas Escuelas. Si bien limitadas en un principio, teniendo en cuenta su primigenia finalidad educadora y divulgativa, el elevado número de promociones y, a la par, el creciente e ingente número de Graduados (no en vano, desde su apertura hasta 1956 cursaron estudios más de medio millón de personas) motivó que el propio Decreto de 22 de diciembre de 1950 reconociera, como consta, la complejidad de la legislación de trabajo y de los seguros sociales para aprovechar sus conocimientos y habilitar a aquellos «en la gestión de los problemas de índole social, bien realizada a favor de particulares interesados, bien al servicio de empresas y entidades», detallando sus funciones en el «asesoramiento, gestión y representación, sin necesidad de apoderamiento especial de las empresas y particulares en cuantos asuntos sociales les fueran encomendados ante los organismos dependientes del Ministerio de Trabajo, a excepción de los jurisdiccionales, o en cualesquiera otros que, por razón del asunto de que se trate, pudieran guardar relación con la esfera social». Los cometidos descritos suponen, sin duda, un anuncio de lo que hoy en día, y en términos coloquiales, se denomina ejercicio profesional –y en sus mismas modalidades– del Graduado Social.

Junto a lo anterior, tal cualificación comenzó a ser privilegiada para el acceso a determinados puestos relacionados con la materia. Así, las Reales Órdenes de 12 de agosto de 1926 y la de 18 de diciembre de 1930 valoraban como mérito haber cursado dichos estudios para «en su medida, dentro de los reglamentos en su caso vigentes y en igualdad de condiciones, el ingreso, continuación y ascensos en el empleo y funcionamiento de los servicios de carácter estrictamente social de este Ministerio». Más tarde, la Orden de 10 de diciembre de 1935, y debido a que tales previsiones no habían llegado a tener aplicación efectiva, reiteraba el privilegio para quienes hubieran cursado dichos estudios argumentando la justicia y conveniencia de «otorgar una merecida compensación a los que los llevaron a cabo, y un estímulo a los que aspiren a realizarlos, prestigiando al propio tiempo la meritoria labor de las aludidas escuelas».

Con posterioridad, otras normas continuaron aumentando las prerrogativas en la Inspección de Trabajo (estableciendo el Decreto de 12 de octubre de 1935 que, para la provisión por oposición de cargos de Inspectores Delegados y de Inspectores Auxiliares, sería necesario poseer título universitario o ser Graduado de Escuela Social) y en los Jurados Mixtos (conforme ya anunciaran la Ley de 27 de noviembre de 1931 y la Orden de 6 de junio de 1932, la Orden de 27 de septiembre de 1933, la Ley de 16 de julio de 1935, y el Decreto de 29 de agosto de 1935, que aprobó el Texto Refundido de la Legislación sobre Jurados Mixtos, recurrían a los Graduados Sociales como profesionales capacitados para acceder a los puestos de Secretario y Vicepresidente de dichas instituciones).

Finalmente, creadas las Magistraturas de Trabajo por Decreto de 13 de mayo de 1938 y Ley Orgánica de 17 de octubre de 1940, y al no existir texto legal alguno de procedimiento laboral, seguía vigente el Código de Trabajo, cuyo artículo 453 estimaba que la representación de la parte en litigio pudiera ser llevada por cualquier persona que estuviera en el goce de sus derechos civiles. Por tal motivo, el Ministerio de Trabajo elaboró el Decreto de 13 de abril de 1945, primera disposición por la que se reconocía el derecho de los Graduados Sociales a ejercer la representación ante las Magistraturas de Trabajo en procedimientos judiciales iniciados de oficio como consecuencia de certificaciones con valor de demanda; facultad mantenida y reiterada, como en breve se verá, por la primera Ley de Procedimiento Laboral de 1958.

II

SEGUNDA ETAPA (1956-1978). LA CONSOLIDACIÓN DE LA PROFESIÓN DURANTE LA DICTADURA Y LA TRANSICIÓN POLÍTICA(*)

1. EL GRADUADO SOCIAL DURANTE LA SEGUNDA ETAPA DE LA DICTADURA (1958-1975)

Conforme se ha adelantado, el nuevo Régimen surgido tras la Guerra Civil construyó su propio modelo en materia de relaciones laborales mediante el Fuero del Trabajo, aprobado por Decreto de 9 de marzo de 1938, considerado como una de las Leyes Fundamentales del Estado e inspirado sobre la base del intervencionismo más absoluto, instaurando un modelo autoritario y estatal, sin posibilidad de actuación a la autonomía colectiva libre.

Sobre tales premisas, la Ley de Principios del Movimiento Nacional de 17 de mayo de 1958, como síntesis de cuantas máximas inspiraron las Leyes Fundamentales, ofrece sobradas muestras de la manifestada ideología cuando en su Principio V subordinaba cualquier interés individual y colectivo al bien común de la Nación, aun cuando –más como un elemento programático sin verdadera eficacia práctica– su Principio VI considerase el sindicato como una estructura básica de la comunidad nacional; es más, la empresa aparecía concebida como una «asociación de hombres y medios ordenados a la producción, una comunidad de intereses y una unidad de propósitos. Las relaciones entre los elementos de aquélla deben basarse en la justicia y en la recíproca lealtad, y los valores económicos estarán subordinados a los de orden humano y social» (Principio XI).

Se trata, por tanto, de una época caracterizada por la negación de las relaciones colectivas de trabajo en sus vertientes conflictiva y negociadora, el establecimiento de un sindicalismo integrador y unitario, en el cual sus clases dirigentes pertenecían al partido único y sus objetivos aparecían sometidos a los intereses del Estado constituyendo un instrumento más a su servicio; asimismo, el asociacionismo al margen del sindicato vertical era

---

(*)   Epígrafe elaborado por el Prof. Dr. Roberto Fernández Fernández. Universidad de León.

perseguido y, en muchas ocasiones, duramente reprimido por el aparato estatal.

Ahora bien, y con el paso del tiempo, los dirigentes procedentes del período bélico cedieron protagonismo a los llamados «tecnócratas», cuyas actuaciones, sin salir del marco institucional e ideológico marcado por el Régimen, trajeron consigo un espectacular crecimiento de la economía española y determinadas modificaciones en las normas básicas del Estado alcanzando con ello una tímida apertura de la Dictadura.

Semejante panorama permitió la promulgación de la Ley de 24 de abril de 1958 de Convenios Colectivos Sindicales, en la cual se abrieron ciertos resquicios a la negociación colectiva dentro de la estructura sindical y cuyo objetivo no era otro que acercar las condiciones de trabajo a quienes fueran de aplicación, permitiendo un mayor margen de actuación no alcanzable con las rígidas Reglamentaciones de Trabajo. Eso sí, siempre conformando un producto muy alejado de cuanto puede ser entendido como el juego de la libre voluntad de los contratantes de tomar en consideración el férreo control ejercido por la parte de las instituciones del Estado.

Con todo, se trata ésta de una faceta en la cual los Graduados Sociales, siempre dentro de las limitaciones legales vigentes en aquel momento, jugaron un papel relevante en cuanto asesores de las partes por sus valiosos e importantes conocimientos en materia laboral capaces de permitirles prestar la oportuna y correcta asistencia técnica al respecto.

De ese mismo año, y en desarrollo del Reglamento de los Colegios Oficiales de Graduados Sociales, es la Orden de 29 de mayo mediante la cual fueron dictadas normas sobre los requisitos necesarios y trámites a seguir a fin de que un profesional pudiera actuar como habilitado de los trabajadores, sus familiares o derechohabientes, en cuanto hacía a la percepción de beneficios y prestaciones de carácter económico establecidos por la legislación laboral y de previsión social, y cuyo objetivo final consistía en garantizar que los beneficios correspondientes llegaran finalmente a sus perceptores.

En el marco del proceso, y continuando la labor emprendida con la creación de las Magistraturas y los Tribunales Centrales de Trabajo, es promulgado el primer texto refundido del procedimiento laboral mediante Decreto de 4 de julio de 1958, cuyo artículo 120 reconoce expresamente funciones de carácter jurisdiccional en el marco de los procesos de oficio, habida cuenta cuando las certificaciones o comunicaciones recibidas en Magistratura afectaran a más de diez productores, el órgano judicial podía dirigir un escrito al Delegado Sindical, trasladando éste las actuaciones a los interesados quienes, en plazo no superior a diez días y a través de la Delegación Provincial de Sindicatos, designarían un representante con el que entender las sucesivas diligencias, pudiendo seleccionar como tal a un Graduado Social.

Sin embargo, al regular los procesos ordinarios el artículo 10 de dicha disposición no realizaba mención alguna a este colectivo de profesionales, omisión que intentó ser salvada mediante una corrección de erratas publicada en el Boletín Oficial del Estado de 4 de octubre de 1958, de conformidad con la cual donde decía «Procurador o uno de los productores» debía decir «Procurador, Graduado Social o uno de los productores».

El acto administrativo dictado por el Ministerio de Trabajo ordenando la publicación de la nueva versión fue recurrido por el Consejo General de los Colegios de Abogados de España, dictando la Sala Cuarta de lo Contencioso-Administrativo del Tribunal Supremo una sentencia de 19 de diciembre de 1959, en la cual anulaba la posterior redacción proporcionada al artículo 10 del Decreto de 4 de julio de 1958 vetando a estos profesionales la defensa y representación de los interesados fuera de los procesos de oficio.

Varias fueron las razones aportadas por el órgano judicial para fundamentar su fallo: en primer lugar, «fe de erratas equivale a salvar las equivocaciones materiales de impreso o manuscrito, los errores de los linotipistas al estampar o transcribir el texto original que se le remite, y en este caso no son los impresores del Boletín Oficial del Estado, dependencia administrativa de la Presidencia del Gobierno, los que pudieron equivocarse , [sino que se trataba] de salvar la omisión de los Graduados Sociales en el artículo 10, según dice el mismo Ministerio, lo que ya no suponía salvar una errata, sino modificar o reformar ese artículo»; en segundo término, el Gobierno podía «proceder a esa modificación en debida forma aunque sin dar efecto retroactivo a la fecha de la primera publicación del Reglamento, ya que ello pudiera dar lugar a que se estimara prescrita la acción de los interesados para impugnar la resolución en vía jurisdiccional»; en fin, «el hecho de que sea práctica antigua la rectificación de errores de imprenta en un texto legal no puede servir de motivo para que con el nombre de rectificación de erratas se puedan modificar disposiciones publicadas oficialmente».

Con todo, menester es reconocerlo, la labor que a partir de ese momento han realizado los Graduados Sociales en el ámbito jurisdiccional ha contribuido enormemente al prestigio del proceso social en tanto justicia próxima a las partes, con soluciones no excesivamente dilatadas en el tiempo y caracterizada por su imparcialidad y justa aplicación de la norma, habiéndose ganado la confianza de quienes son sus litigantes tanto por el lado empresarial como de los trabajadores; es más, en cuanto profesional y experto en relaciones laborales, su aportación a una correcta aplicación del ordenamiento jurídico laboral ha sido decisiva.

También con la finalidad de desarrollar el Reglamento de los Colegios Oficiales de Graduados Sociales, la Orden de 19 de febrero de 1959 establecía los trámites necesarios para la constitución de la Junta Central de los Colegios Oficiales de Graduados Sociales prevista en el artículo 46 de la Orden de 21 de mayo de 1956, resultando designados sus miembros por Orden de 18 de mayo de 1959, continuando en el cargo de Presidente D. José Pérez Serrano, quien ya lo ocupara desde 1951.

Por otra parte, en relación con los estudios en las Escuelas Sociales, con la finalidad de revalorizar el título acreditativo para el ejercicio de la profesión, mediante Decreto de 27 de mayo de 1959 es constituido un Patronato Mixto adscrito a los Ministerios de Educación Nacional y Trabajo cuya pretensión básica radicaría en ofrecer colaboración y asesoramiento a los organismos y entidades más implicados de manera directa con las actividades docentes de dichos centros académicos destinados a formar técnicos en relaciones laborales y de Seguridad Social.

Proseguiría así la labor emprendida en los años 40 de continua renovación y perfeccionamiento de los estudios sociales –cabe recordar las manifestaciones del Ministro de Educación a mediados de los años 50, D. Joaquín Ruiz Jiménez, mostrando su interés por las Escuelas Sociales como un mecanismo fundamental en el desarrollo del pueblo español– caracterizada por una mayor exigencia docente y unos planes de estudios más desarrollados y atentos a la implantación y necesidades de la profesión de Graduado, cuyo desarrollo ha resultado sumamente importante en la vida social y laboral española, dada la aportación de conocimientos técnicos y sociales en el marco de la prestación de servicios y el mercado laboral.

Asimismo, en la pugna que los Graduados Sociales han tenido con otros profesionales a fin de ganar la confianza de los clientes y que estos depositaran en ellos la gestión de sus asuntos, la concurrencia con los Gestores Administrativos ha constituido uno de los continuos caballos de batalla en torno a las funciones a cumplir por cada uno de estos colectivos. En esa lucha por ganar un hueco en el mercado, cabe encuadrar la sentencia de la Sala Cuarta de lo Contencioso-Administrativo del Tribunal Supremo de 26 de noviembre de 1959 –cuyo cumplimiento tuvo lugar mediante la Orden de 12 de febrero de 1960– y en la cual dicho órgano judicial desestimaba el recurso presentado por el Colegio Oficial de Gestores Administrativos y consideraba ajustada a derecho la atribución a los Graduados Sociales de la facultad para poder cobrar por los interesados pensiones o subsidios del sistema de protección social establecida en la ya comentada Orden de 29 de mayo de 1958.

Por otro lado, en la continua labor de especificación de las funciones enumeradas en el Reglamento de los Colegios Oficiales de Graduados Sociales, la Orden del Ministerio de Trabajo de 13 de marzo de 1961 desarrolló la facultad de estos profesionales para desempeñar en las empresas o centros de trabajo, con carácter permanente o transitorio, cometidos y cargos de índole técnico-social. Semejante disposición no vino sino a reconocer la gran labor que estos profesionales han realizado, y siguen haciéndolo, en el seno de las unidades productivas en tanto asesores imprescindibles, ya sea formando parte de los departamentos de personal o de sus direcciones, evitando la confrontación y buscando el acuerdo al facilitar la avenencia entre las partes concernidas con su rigurosa y objetiva aplicación del ordenamiento jurídico; además, sus consejos son el mejor aval a fin de evitar decisiones caprichosas tanto por el lado empresarial como por la parte obrera.

Con todo, el detalle más llamativo de esa Orden de 1961 es la noción que, a sus efectos, ofrecía del Graduado Social al definirlo como «el técnico que en posesión del título oficial correspondiente, realiza en una empresa o en varias, funciones de organización, control y asesoramiento en orden a la admisión, clasificación, acoplamiento, instrucción y retribución del personal; horarios de trabajo y regímenes en el mismo, descanso, seguridad, economatos y comedores, indumentaria, previsión social, esparcimiento del personal y, en general, sobre aplicación de la legislación social, sirviendo así bien a la eficacia de las obras y actividades encaminadas a fortalecer las relaciones de convivencia de cuantos participan en la empresa y de aquellas otras destinadas a mejorar las condiciones de vida del trabajador y su familia».

Durante toda la etapa franquista pocas modificaciones de carácter sustancial sufrió la Ley de Contrato de Trabajo de 1944, pudiendo citar como más significativas la laboralización de la actividad de los representantes de comercio en 1962, la ordenación jurídica del salario en los años 1960 y 1973, el Decreto que establecía la figura del salario mínimo interprofesional de 1963, el Decreto sobre Reglamentos de Régimen Interior de 1961, el Decreto de diciembre de 1970, sobre prevención y sanción de los supuestos de interposición y mediación, el Decreto de mayo de 1972 sobre política de empleo ordenando la crisis colectiva de trabajo, y la Ordenanza General de Seguridad e Higiene en el Trabajo de 1971, campo este último en el cual los Graduados Sociales jugarán un papel relevante a partir de ese momento no sólo en el marco de la prevención y lucha contra los riesgos profesionales, sino también de información sobre los peligros existentes en el centro de trabajo y las medidas a adoptar para evitar el acaecimiento de un suceso dañino para la salud de los trabajadores que prestan servicios en el mismo.

Asimismo, fue la época en la que se apuntaló el sistema de protección social español con una primera etapa en la cual el sistema de los seguros sociales obligatorios alcanzó su consolidación con la implantación o reorganización de muchos de ellos afectando a las prestaciones por cargas familiares, vejez, invalidez, enfermedad profesional, viudedad, accidentes de trabajo y desempleo; cabe destacar como hitos más importantes en esa época inicial la creación en 1961, sobre la base de varias normas de los años 50, del Seguro Nacional de Desempleo y la regulación de las enfermedades profesionales mediante Decreto 792/1961, de 13 de abril.

Dentro de este contexto, y para afirmar el relevante papel que en el marco de los seguros sociales –y más tarde dentro del sistema de Seguridad Social– han jugado los Graduados, la sentencia de la Sala Tercera de lo Contencioso-Administrativo del Tribunal Supremo de 1 de febrero de 1962 vino a considerar como función privativa de dichos profesionales, excluyendo la competencia reconocida a los Gestores Administrativos mediante Orden de la Presidencia de 16 de mayo de 1960, la formalización de impresos de liquidación por cuotas al modelo público, así como la tramitación de los expedientes referidos a premios de nupcialidad o natalidad, de pensión de jubilación, viudedad, orfandad o defunción.

De esta manera, dicho pronunciamiento establecía la nulidad de la atribución a los Gestores de las competencias analizadas en tanto en cuanto «precisamente con esa finalidad y para que no puedan producirse confusiones de ninguna clase, y que dieran lugar a intromisiones de una función como la de los Gestores Administrativos, en la que ha de corresponder privativamente a los Graduados Sociales, resulta ajustado a derecho el admitir la defectuosa redacción del Capítulo 12.1 con la frase de "comprenderán las gestiones de formalización de impresos de liquidación", lo que presupone indudablemente especiales conocimientos de la forma en que han de practicarse esas liquidaciones de cuentas de la Seguridad Social, y asimismo, el apartado 12.4 de aquel capítulo, cuando se refiere a la tramitación de los expedientes que menciona, y que constituye otro de los extremos cuya anulación se solicita por la Junta recurrente, es palpable que puede dar lugar a evidentes equívocos al requerir la tramitación de esos asuntos conocimientos de orden técnico que deben ser atribuidos propiamente a los Graduados Sociales».

El fallo judicial reseñado fue cumplido mediante Orden de Presidencia de 27 de marzo de 1962 y luego refrendado por el Decreto 1531/1965, de 3 de junio, sobre concurrencia de atribuciones de los Gestores Administrativos y Graduados Sociales, el cual consideraba al primero de los colectivos competente para realizar cuantas gestiones y trámites de toda clase estuvieran relacionados con la Seguridad Social y la emigración, si bien mantenía la exclusividad para las materias enumeradas anteriormente por la sentencia del Tribunal Supremo.

Por otra parte, la participación de los trabajadores en la empresa, iniciada con la creación de los Jurados de Empresa, continuó tras la promulgación de la Ley de 21 de julio de 1962 y el Reglamento de 15 de julio de 1965 sobre intervención del personal en los órganos rectores de las sociedades, si bien su efectividad en la práctica resultó bastante modesta, cuando no excepcional; de existir, el asesoramiento por parte de los Graduados Sociales fue sumamente provechoso en el desarrollo de dicha institución, canalizando las comunicaciones, sugerencias e ideas realizadas desde los trabajadores hacia las direcciones de las unidades productivas, de manera que aquellos tuvieran cierto grado de participación en la toma de algunas de las decisiones más importantes para las distintas fábricas y todo ello contribuyera a la adopción de instrumentos de estímulo económico y a aumentar la competitividad de las empresas españolas, en el marco de una coyuntura económica bastante favorable iniciada a partir de los años sesenta.

Dentro del proceso, el Decreto de 17 de enero de 1963, mediante el cual se aprobó el Texto Refundido del Procedimiento Laboral, no alteraba su precedente del año 1958 y su artículo 120 continuó otorgando facultades para representar ante las Magistraturas de Trabajo a una pluralidad de productores interesados dentro de los procesos de oficio.

Por su parte, tuvo lugar el fin de los seguros sociales y el incipiente inicio de cuanto luego constituiría el sistema moderno de Seguridad Social español con la promulgación de la Ley de Bases de la Seguridad Social 193/1963, de 28 de diciembre y su Texto Articulado aprobado por Decreto 907/1966, de 21 de abril; ambas normas culminaron un proceso de coordinación y unificación en la materia cuya pretensión consistió en superar el obsoleto, heterogéneo y fraccionado modelo de los seguros sociales, mediante una extensión y unificación de la acción protectora claramente vinculada a los principios de profesionalidad y contributividad, e inspirado en principios como la tendencia a la unidad, supresión del ánimo de lucro, conjunta consideración de las contingencias protegidas y transformación del régimen financiero.

La última de las normas citadas contenía una referencia expresa a los Graduados Sociales cuando su artículo 134 permitía a los profesionales colegiados asumir la representación de más de diez productores ante las Magistraturas de Trabajo, recibiendo cuantas diligencias debieran ser tramitadas durante el proceso; el mismo tenor literal y en homónimo artículo era luego reiterado en el Decreto de 17 de agosto de 1973 por el que se aprobaba el Texto Articulado Segundo de la Ley de 24/1972, de 21 de junio, de financiación y perfeccionamiento de la acción protectora del Régimen General de la Seguridad Social.

Con ello vino a ser reconocida una labor en la cual los Graduados Sociales han mostrado su eficacia y alta solvencia, cual es la actuación en el marco de la Seguridad Social, en cuyo seno el quehacer del colectivo presenta gran relevancia habida cuenta el alto número de interesados que han de tramitar prestaciones y las dificultades intrínsecas para realizar las gestiones oportunas dada la maraña burocrática y legislativa cuyo manejo es necesario para lucrar los auxilios correspondientes. Esta circunstancia supone que, en la gran mayoría de las ocasiones, sólo un experto sea capaz de conseguir el resultado final y muestra la necesidad de tener un conocimiento profundo y un alto grado de especialización y práctica para poder desenvolverse con soltura y facilidad en el complejo mundo de la Seguridad Social.

En este contexto, los Graduados Sociales han venido asumiendo, entre otras, funciones como las siguientes: asesoramiento a las partes interesadas en la solicitud de una prestación del sistema público de protección; tramitación en vía administrativa de los distintos expedientes ante las entidades gestoras u organismos colaboradores; con el paso del tiempo representación en vía jurisdiccional de los interesados de resultar necesario llegar a juicio; en fin, habilitación para facilitar a los pensionistas y subsidiarios interesados el percibo de sus haberes.

De esta manera, el buen hacer de estos profesionales con el transcurso de los años y el profundo desarrollo experimentado por las instituciones y técnicas sociales llevó al Decreto 3501/1964, de 22 de octubre, a incrementar las funciones a desempeñar por los Graduados Sociales en ejercicio, siendo de destacar entre sus cometidos la intervención profesional, estudiando y emitiendo dictámenes e informes en cuantas cuestiones de materia laboral y social les sean sometidos; asesorar y representar, así como gestionar en nombre de las empresas, entidades, trabajadores y particulares, en materia laboral, de seguridad social, empleo y migraciones; en fin, y por no seguir, en una puerta abierta a la asunción de mayores competencias de naturaleza jurisdiccional, comparecer en nombre de las empresas, de los trabajadores y de los particulares ante los organismos sindicales de conciliación, así como representarles en los casos expresamente autorizados por las Leyes ante las Magistraturas de Trabajo.

Asimismo, dicha disposición reglamentaria, con la finalidad de facilitar las funciones representativas del colectivo creó, como órgano superior de gobierno de los Colegios Oficiales de Graduados Sociales, un Consejo Superior con naturaleza de Corporación Oficial de Derecho Público y capacitado para encarnar a la profesión a nivel nacional, presentando una misión consultiva, reguladora y propulsora del oficio, así como actuar en nombre de sus representados en cuantos asuntos de interés general les afecten y, en especial, defender sus derechos y prerrogativas ante los poderes públicos.

En el año 1966 comienza una cierta descentralización en la conformación territorial de la organización corporativa de la profesión –vigente desde la Orden del Ministerio de Trabajo de 30 de octubre de 1956– con la creación del primer Colegio Oficial de ámbito no superior a la provincia, el de Málaga –Orden de 30 de abril de 1966– al que le seguirán en una primera fase los de Alicante –Orden de 21 de enero de 1970–, Sevilla –Orden de 1 de junio de 1970–, León –Orden de 1 de junio de 1970–, Cádiz –Orden de 30 de septiembre de 1971–, Murcia –Orden de 30 de junio de 1972–, Santander –Orden de 23 de diciembre de 1972–, Guipúzcoa –Orden de 23 de diciembre de 1972– y Vizcaya –Orden de 23 de diciembre de 1972–.

Ante la creación de cuantos Colegios han sido significados y en aras a clarificar el panorama, la Orden de 12 de enero de 1973 procede a una nueva ordenación de los mismos en cuanto afecta a su denominación y ámbito territorial siendo diecisiete los Colegios existentes a partir de ese momento, a saber: Alicante, Barcelona (incluyendo Tarragona, Lérida, Gerona, Baleares y Barcelona), Cádiz, Granada (comprendiendo Almería, Córdoba, Huelva, Jaén, Las Palmas de Gran Canaria, Santa Cruz de Tenerife, Ceuta, Melilla y Granada), León, Madrid (abarcando Burgos, Ciudad Real, Cuenca, Guadalajara, Palencia, Segovia, Valladolid, Toledo, Álava y Madrid), Málaga, Murcia, Guipúzcoa, Salamanca (englobando Ávila, Badajoz, Cáceres, Zamora y Salamanca), Santander, Santiago (alcanzando también La Coruña), Sevilla, Oviedo, Valencia (incluyendo Albacete, Castellón de La Plana y Valencia), Vizcaya y Zaragoza (comprendiendo Huesca, Logroño, Navarra, Teruel y Zaragoza).

Ahora bien, lejos de finalizar el proceso, hasta la entrada en vigor de la Constitución Española semejante distribución territorial sufrirá ciertas alternaciones, pasando los Graduados Sociales de Ceuta a estar adscritos al Colegio de Cádiz y los de Melilla al de Málaga –Orden de 30 de mayo de 1973– y siendo creados como nuevos Colegios los de Tarragona –Orden de 30 de mayo de 1973–, Álava –Orden de 30 de mayo de 1973–, Baleares –Orden de 29 de septiembre de 1973–, Navarra –Orden de 15 de octubre de 1974–, Badajoz –Orden de 2 de diciembre de 1974–, Castellón de La Plana –Orden de 2 de diciembre de 1974–, Santa Cruz de Tenerife –Orden de 12 de mayo de 1975–, Córdoba –Orden de 11 de junio de 1976– y Las Palmas de Gran Canaria –Real Decreto de 17 de junio de 1977–.

Por otra parte, y en aras a facilitar la representación de los interesados en cuantos expedientes intervengan ante la Administración Pública, la Orden de 20 de marzo de 1967 autorizó a los Graduados Sociales a consignar en la documentación correspondiente el número y fecha de expedición del documento nacional de identidad, haciendo constar expresamente, y bajo su responsabilidad, que los datos transcritos «han sido comprobados y resultan acordes con los expresados en dicho documento».

En el marco de colaboración que los ejercientes han mantenido siempre con el mundo universitario y el título habilitante para el desempeño de la profesión, la Orden de 29 de diciembre de 1967, con el objetivo de que los Colegios de Graduados cooperaran más eficazmente con la labor docente a realizar por las Escuelas Sociales y para que las enseñanzas impartidas por éstas resultaran coherentes con las funciones a desarrollar por los futuros ejercientes, estableció como miembro nato de los Claustros de profesores o de los Patronatos en las Escuelas Sociales a un Graduado Social colegiado cuyo nombramiento correspondería al oportuno Colegio Oficial. En efecto, ningún otro sujeto mejor que el Graduado Social puede conocer el funcionamiento en la práctica de la norma, detectar con tino los problemas en su aplicación y divisar su defectos e insuficiencias, solicitando su corrección, siendo el marco educativo uno de los ámbitos en los cuales pueden aportar sus numerosos conocimientos sobre el ordenamiento social.

Asimismo, la Orden de 6 de mayo de 1968 viene a regular el reconocimiento de Seminarios de Estudios Sociales con la naturaleza de centros privados reconocidos por el Ministerio de Trabajo, cuya finalidad es impartir las enseñanzas de Graduado Social en las capitales de provincia o en zonas industriales donde la necesidad de contar con titulados así lo aconsejara, eso sí siempre bajo la fiscalización y orientación de la Escuela Social a la cual figuren adscritos, siendo considerados las personas matriculadas en dichos lugares como alumnos oficiales de la correspondiente Escuela. El papel de los Graduados Sociales en su seno será crucial no en vano tanto el Director como el Secretario de dichos Seminarios debían ser Graduados

Sociales Colegiados y el Profesorado de los mismos habría de acreditar el título de Graduado Social o título universitario correspondiente a la materia objeto de enseñanza.

La experiencia acumulada por el transcurso del tiempo y las distintas reformas acaecidas desde el año 1956 llevan al legislador a dictar un nuevo Reglamento de Colegios Oficiales de Graduados Sociales mediante la Orden de 28 de agosto de 1970 que, además de regular el funcionamiento de dichos órganos estableciendo las correspondientes alteraciones para mejorar el mismo, establece en su artículo 1 un listado de cometidos a desarrollar por los mismos recogiendo los ya establecidos en normas precedentes, añadiendo alguno más como la facultad para actuar como perito en materia social y laboral ante los Tribunales de Justicia de ser requerido para ello, facilitando al juez una interpretación de la norma laboral como consumados expertos en la misma, tarea que podrá servirle como privilegiado auxilio para alcanzar una resolución justa.

Respecto a esta última norma, es necesario resaltar, por su importancia para el futuro, la impugnación realizada por la Junta Nacional de los Ilustres Colegios de Procuradores de España de la letra f) de su artículo 1 de conformidad con el cual el Graduado Social quedaba habilitado para «comparecer en nombre de las empresas, de los trabajadores y de los particulares, ante los Organismos sindicales de conciliación, así como representarles en los casos que expresamente lo autoricen las Leyes, ante las Magistraturas de Trabajo».

Para la Sala Cuarta de lo Contencioso Administrativo del Tribunal Supremo, en sentencia de 7 de julio de 1978 –luego reiterada por la Sala Tercera en sentencia recaída el 28 de abril de 1982, resolviendo el recurso presentado, en este caso, por el Consejo General de la Abogacía Española–, dicha previsión resulta perfectamente ajustada a Derecho por los siguientes motivos: de una parte, el precepto reglamentario trascrito cumple con los principios de legalidad y jerarquía normativa «al renunciar a toda decisión, abriendo tan sólo la posibilidad de que dichos Graduados Sociales puedan actuar ante las Magistraturas de Trabajo, pero cuando "expresamente lo autoricen las Leyes"; se trata, pues, de una norma en blanco, con reenvío a lo que determinen las de rango superior, por lo que pasa a depender enteramente de éstas, que serán las que puedan habilitar tal actuación profesional, y que, precisamente por su categoría, quedan exentas de control judicial»; de otra, por cuanto hace a la representación ante los organismos sindicales «no se les da acceso a una conciliación, dentro del proceso, aunque persiga el fin de evitarlo, sino a una, que no sólo es previa a la fase contenciosa, sino incluso previa a la vía judicial, y ante órganos no judiciales».

Con la promulgación del Decreto 2530/1970, de 20 de agosto, por el que se regula el Régimen Especial de Seguridad Social de los trabajadores por cuenta propia o autónomos, queda abierta la puerta para que cuantos Graduados Sociales ejercieran libremente su actividad profesional –no vinculados por un contrato de trabajo– pudieran acceder a la protección dispensada por dicho sistema. Para hacer efectiva esa inclusión era necesaria la promulgación de un Decreto a propuesta del Ministerio y oída la Organización Sindical; a tal fin, y a petición del Consejo Superior de Colegios de Graduados Sociales, el Decreto de 17 de septiembre de 1971 considera obligatoriamente incluidos en el RETA a todos los Graduados Sociales que reunieran la condición de trabajadores por cuenta propia y figuraran integrados en sus Colegios Oficiales por el ejercicio de la profesión con carácter libre, permitiéndoles a partir del 1 de octubre de ese mismo año solicitar la afiliación a dicho régimen público de Seguridad Social, encontrando dicha norma oportuno desarrollo en la Orden de 10 de abril de 1972, en torno a las formalidades a cumplir para la tramitación de las correspondientes altas y bajas.

En cuanto hace a los Graduados Sociales por cuenta ajena, la Orden de 25 de septiembre de 1971 establecería determinadas previsiones específicas al respecto: en primer lugar, reconocen la importante labor desarrollada por estos profesionales en las empresas, aportando una eficaz colaboración en el ejercicio de cuantas funciones les competen, todo ello fruto de una adecuada y óptima formación técnica en cuestiones laborales y sociales; en segundo término, dichos empleados pasan a tener la consideración de Técnicos de Grado Medio, disfrutando de los niveles y beneficios económicos reconocidos por las disposiciones vigentes en ese momento para dicha categoría; en fin, quedaban incluidos a efectos de cotización en la Tarifa número 2 correspondiente a los Peritos y Ayudantes titulados.

Dentro del camino de apertura anteriormente apuntado, la Ley 38/1973, de 19 de diciembre, sustituye en materia negociadora a la de 1958 y su pretensión no es otra sino permitir un mayor margen de maniobra a la autonomía colectiva pero siempre dentro del aparato institucional del Estado; a tal fin amplia la vigencia mínima del convenio a dos años, permite como unidad negocial el ámbito nacional y regula la extensión de los pactos alcanzados. Como ya quedo apuntado anteriormente, una de las funciones a cumplir por el Graduado durante este período histórico consistió en intervenir, cuando fuera requerido para ello, como asesor laboral en los convenios colectivos sindicales, así como en las comisiones mixtas establecidas en los mismos.

A modo de cierre por este recorrido sobre la actuación de los profesionales y los estudios conducentes al oficio durante el Régimen cabe hacer mención a la Ley 2/1974, de 13 de febrero, sobre Colegios Profesionales y que constituirá la norma general de referencia para la promulgación del RD 3549/1977, de 16 de diciembre, por el que se aprueban los estatutos de los Colegios Oficiales de Graduados Sociales, norma todavía en vigor.

2. LA TRANSICIÓN POLÍTICA (1975-1978)

Desde la muerte del General Franco hasta la promulgación de la Constitución de 1978 se produjeron notables cambios sociales y políticos producto del paso de un modelo dictatorial a uno democrático. Entre todos los que quedan en la memoria colectiva de un país, cabe destacar los siguientes hitos de este momento histórico, luego calificado como «la Transición Política»: el 22 de noviembre de 1975, dos días después de la muerte del General Franco, Juan Carlos I fue proclamado Rey de España; unos meses más tarde, las Cortes Españolas aprobaron, el 18 de noviembre de 1976, la Ley para la Reforma Política, ratificada en referéndum el 15 de diciembre de ese mismo año.

La situación que vivía España hacía necesaria la implicación de todos los ciudadanos, de todos los estamentos, de todas las profesiones y, entre estas últimas, también de los Graduados Sociales, habida cuenta el importante papel que cumplían –y siguen desempeñando– en el devenir de las relaciones laborales. En tal sentido, en el año 1976, el Colegio de Graduados Sociales de Madrid hacía pública la siguiente declaración de principios: «los Graduados Sociales del Colegio de Madrid, ante el momento económico, político y social del país se sienten en el deber de expresar públicamente su criterio en cuanto esta coyuntura incide en los postulados de justicia social, que es la norma básica de la finalidad de la profesión Si queremos positivar las tensiones sociales para no romper las ilusiones esperanzadas hacia un futuro mejor, hemos de buscar las causas para controlar sus efectos». Para lograr tan laudable objetivo, presentaban doce puntos para la reflexión: una reforma de la empresa; más justa distribución de la riqueza, actuando las cargas fiscales como instrumento moderador; justos niveles de beneficios; protagonismo para el campo; política salarial sin discriminación sectorial ni coyuntural; garantía y participación en los resultados; prevención del paro mediante la creación de nuevos puestos de trabajo; la creación de sindicatos libres; Seguridad Social rentable y eficaz; participación tanto de los empresarios como de los trabajadores en la elaboración de las normas que regulan sus propias relaciones; la conflictividad laboral como signo de vitalidad inconformista en la empresa; y, por último, el respeto del asociacionismo político de los Graduados Sociales. Finalizaban el comunicado ofreciéndose para la alta misión antes bosquejada: «ante la esperanza de una próxima tarea de reactivación y de reforma de las estructuras en vías de desarrollo, los Graduados Sociales, que hacen de la justicia social su meta profesional una vez más, mantienen su talante de servicio y entrega a la colectividad ofreciendo pública colaboración en el arbitraje de las situaciones conflictivas que en el orden laboral pueden surgir por este motivo, aportando su experiencia y especialización en la búsqueda de las soluciones que posibiliten el diálogo, la comprensión y el entendimiento entre los diversos componentes de la empresa».

La caída del Régimen franquista trajo consigo un período de transición hacia la democracia marcado por una lenta pero importante ruptura con los principios del movimiento nacional, principalmente mediante el reconocimiento de determinadas libertades. Dicho proceso se tradujo en el marco de las relaciones laborales en la superación del carácter netamente individualista del sistema anterior para pasar a reconocer la importancia que las organizaciones sindicales habrían de jugar en la nueva y embrionaria sociedad.

Así, y dentro del marco laboral, es posible hacer referencia a la Ley 16/1976, de 8 de abril, de Relaciones Laborales, la cual modificó sensiblemente la regulación del contrato de trabajo, si bien en su debe cabe anotar la ausencia de cualquier referencia a los derechos colectivos, así como un alto grado de confusión e inseguridad, habida cuenta sufrió su primera modificación transcurridos únicamente seis meses desde su promulgación mediante el Real Decreto Ley de 8 de octubre de 1976.

El Real Decreto Ley 19/1976, de 8 de octubre, de creación, organización y funciones de la Administración Institucional de Servicios Socio-profesionales supuso el desmantelamiento del sindicalismo vertical, lo que junto con la ratificación de los Convenios 87 y 98 OIT y la promulgación de la Ley 19/1977, de 1 de abril, de Asociación Sindical, vinieron a suponer un reconocimiento expreso de la libertad de creación y fundación de estas representaciones obreras.

En fin, el Real Decreto-Ley 17/1977, de 4 de marzo, de Relaciones de Trabajo –vigente en algunos aspectos hoy en día conforme se conoce– vino a residenciar de nuevo en los representantes de los trabajadores y empresarios las facultades de fijación de las condiciones de trabajo permitiendo la negociación colectiva, además de regular la huelga, el cierre patronal y las medidas de conflicto colectivo.

De esta época –según se adelantó–, es el RD 3549/1977, de 16 de diciembre, por el que se aprueban los estatutos de los Colegios Oficiales de Graduados Sociales, todavía vigente en la actualidad y cuyo estudio detallado será realizado con posterioridad; en él, se evita realizar una enumeración exhaustiva de las funciones propias de los ejercientes de este oficio, las cuales habrían de ser desarrolladas a través de un Estatuto Profesional, permaneciendo vigente, hasta la promulgación de este último, el artículo 1 de la Orden de 28 de agosto de 1970 (disposición final Tercera).

Unos meses más tarde, y como medida necesaria y complementaria de la anterior, por Orden de 30 de mayo de 1978 se aprobaron las tarifas mínimas de sus honorarios profesionales (a modo de anécdota, baste recoger aquí cómo una consulta verbal costaba 400 pesetas; la redacción de demandas en materia laboral, un mínimo de 1.000 pesetas; o, en fin, la formalización de partes de baja por contingencias profesionales, 200 pesetas).

Se trata, por tanto, de los albores de una nueva época en la cual empezaron a vislumbrarse numerosos marcos de actuación para los Graduados Sociales; es más, los sustanciales cambios acaecidos en la sociedad han traído consigo también numerosas modificaciones en esta profesión y en los estudios que capacitan para su ejercicio como habrá ocasión de comprobar a continuación.

III

TERCERA ETAPA (1978-2000). EL GRADUADO SOCIAL EN LA CONSTRUCCIÓN DEL ESTADO SOCIAL Y DEMOCRÁTICO DE DERECHO A PARTIR DE LA CONSTITUCIÓN ESPAÑOLA DE 1978(*)

1. LA CONSTITUCIÓN ESPAÑOLA DE 1978: ESPAÑA COMO ESTADO SOCIAL Y DEMOCRÁTICO DE DERECHO

Una vez legalizados todos los partidos políticos, y con el fin de asegurar la composición de unas Cortes constituyentes que reflejaran adecuadamente la pluralidad de la sociedad española, las elecciones del 15 de junio de 1977 procedieron a formar las dos Cámaras –Congreso y Senado–, las cuales eligieron la Comisión Constituyente del Congreso. Ésta designó la Ponencia integrada por los Diputados Gabriel Cisneros (UCD), D. Manuel Fraga (AP), D. Miguel Herrero y Rodríguez de Miñón (UCD), D. Gregorio Peces-Barba (Socialistas del Congreso), D. José Pedro Pérez Llorca (UCD), D. Miguel Roca Junyent (Minoría Catalana) y D. Jordi Solé Tura (Grupo Comunista), todos ellos considerados los «Padres» de la Constitución española. La Ponencia redactó dos proyectos (el segundo después de recibir 3.100 enmiendas) y las dos Cámaras acabaron aprobando un texto definitivo que fue abrumadoramente apoyado por los españoles en el referéndum del 6 de diciembre de 1978, naciendo así nuestra Norma Suprema, la Constitución Española de 1978.

Al tiempo, fueron firmados los Pactos de la Moncloa el 27 de octubre de 1977, fruto del acuerdo entre el Gobierno y los representantes de los principales partidos políticos del arco constituyente (PSOE, UCD, AP, PNV, CDC y PCE), y ratificados luego por las Cortes. Estos acuerdos aparecían dotados de importantes previsiones económico-sociales y, con la firme intención de soslayar las dificultades de un proceso de transición de la dictadura a la democracia, la prioridad para las fuerzas políticas sindicales y sociales vino constituida por asentar el régimen de libertades y consolidar el régimen democrático.

(*) Epígrafe elaborado por la Profra. Dra. Henar Álvarez Cuesta. Universidad de León.

El sistema constitucional español nacido en 1978 garantiza los derechos y libertades básicos que caracterizan a los modernos Estados democráticos y, a la par, constitucionaliza el Derecho del Trabajo. Ya desde su artículo 1 define nuestro país como un Estado social y democrático de Derecho, reconociendo a los sindicatos y a las asociaciones empresariales como piedras angulares de la sociedad. La Norma Fundamental, tanto en su Título Preliminar, como en los Capítulos II y III del Título I, diseña los elementos básicos del sistema constitucional laboral.

Descendiendo al análisis de los preceptos más relevantes desde el punto de vista laboral, el artículo 28.1 reconoce el derecho a sindicarse libremente, remitiendo a la ley para limitar o exceptuar el ejercicio de este derecho a las Fuerzas o Institutos armados o a los demás Cuerpos sometidos a disciplina militar y para regular las peculiaridades de su ejercicio para los funcionarios públicos; incluye dentro de la libertad sindical el derecho a fundar sindicatos y a afiliarse al de su elección, así como el derecho de los sindicatos a formar confederaciones y a formar organizaciones sindicales internacionales o a afiliarse a las mismas; en último término, veta las afiliaciones obligatorias. Por su parte, en su apartado 2 «reconoce el derecho a la huelga de los trabajadores para la defensa de sus intereses», dejando en manos del legislador la regulación de su ejercicio con «las garantías precisas para asegurar el mantenimiento de los servicios esenciales de la comunidad».

El artículo 35 recoge el doble derecho-deber de todos los españoles: el deber de trabajar y el derecho al trabajo, así como el derecho a la libre elección de profesión u oficio, a la promoción a través del trabajo y a una remuneración suficiente para satisfacer sus necesidades y las de su familia, sin que en ningún caso pueda hacerse discriminación por razón de sexo, encomendando a la ley la elaboración de un estatuto de los trabajadores.

No cabe olvidar el derecho a la negociación colectiva laboral entre los representantes de los trabajadores y empresarios con la fuerza vinculante de los convenios garantizada por el artículo 37.1 de la Carta Magna, así como la facultad para «adoptar medidas de conflicto colectivo», reenviando –una vez más– a la ley para concretar su ordenación, sin perjuicio de las eventuales limitaciones que pudieran establecerse e incluyendo –de nuevo– las garantías precisas para asegurar el funcionamiento de los servicios esenciales de la comunidad.

En fin, el Capítulo III del Título I de la Carta Magna contiene los principios rectores de la política social y económica, donde destacan alusiones al empleo (art. 40.1), formación y readaptación profesionales, seguridad e higiene en el trabajo, jornada o vacaciones (art. 40.2), régimen público de Seguridad Social –incluyendo el desempleo y las prestaciones complementarias– (art. 41), asistencia sanitaria y protección de la salud (art. 43), minusválidos (art. 49) y jubilación (art. 50).

Junto a lo anterior, la Constitución Española encomienda a la ley la regulación de las peculiaridades propias del régimen jurídico de los Colegios profesionales y el ejercicio de las profesiones tituladas, imponiendo la democracia en su estructura interna y funcionamiento (art. 36); prohibiendo además los Tribunales de Honor en el ámbito de las organizaciones profesionales (art. 26).

2. LA DÉCADA DE LOS OCHENTA: LA ÉPOCA DE LOS PACTOS A NIVEL POLÍTICO Y EL NACIMIENTO DEL MODERNO ORDENAMIENTO LABORAL

La división del Estado español en Comunidades Autónomas dio paso a la redacción de los primeros Estatutos de Autonomía, como el del País Vasco o el de Cataluña, los cuales adjudicaron a la respectiva Comunidad Autónoma la competencia exclusiva respecto a Colegios profesionales y ejercicio de las profesiones tituladas; así, pronto comienzan a aparecer Consejos de ámbito territorial autonómico. Uno de los pioneros fue el catalán, siendo aprobados los Estatutos de su Consejo de Colegios Oficiales de Graduados Sociales por Resolución de 29 de agosto de 1984.

En el plano legislativo, seguía negociándose el sistema de relaciones laborales democrático y, en 1979, UGT y CEOE ratificaron el Acuerdo Básico Interconfederal (ABI), el cual diseñaba el futuro contenido de la negociación colectiva estatutaria a insertar en el Título III del Estatuto de los Trabajadores de 1980. Tras éste, se produjo una eclosión de normas sociales en todos los ámbitos del Derecho Laboral, como sucedió con la Ley 51/1980, de 8 de octubre, Básica del Empleo, la Ley 40/1980, de 5 de julio, de Inspección y Recaudación de la Seguridad Social, el Real Decreto Ley 10/1981, de 19 de junio, sobre Inspección y Recaudación de la Seguridad Social, el Real Decreto Ley 13/1981, de 20 de agosto, sobre determinación de la base reguladora de la pensión de jubilación en la Seguridad Social o la Ley 13/1982, de 7 de abril, de Integración Social de los Minusválidos. La maraña legislativa hacía preciso un número cada vez mayor y mejor preparado de profesionales encargados de aplicar estas normas en el ámbito empresarial, haciendo que el proceso resultara menos complejo para todos cuantos integraban el mundo laboral.

La senda de negociación iniciada entre sindicatos y asociaciones obreras, con la ocasional intervención del Gobierno, fructificó a lo largo de este período. Entre 1980 y 1984 se celebraron los cuatro grandes Acuerdos: el Marco Interconfederal (AMI), firmado el 5 de enero de 1980 entre UGT y CEOE, y revisado el 3 de febrero de 1981; el Nacional sobre el Empleo (ANE), firmado el 9 de junio de 1981 por el Gobierno, CC.OO., UGT y CEPYME; el Interconfederal de 1983, ratificado por UGT, CC.OO., CEOE y CEPYME; y el Económico y Social (AES), de 9 de octubre de 1984, suscrito por el Gobierno, UGT, CEOE y CEPYME.

La práctica desarrollada en esta época sirvió para apuntalar el naciente sistema democrático y hacer frente a una situación económica adversa que obligó a desarrollar un inusual esfuerzo de colaboración entre las fuerzas sociales y el poder público, destacando el papel desempeñado por los dos grandes sindicatos tras la transición con su actitud abiertamente reformista. Por si duda alguna hubiera, desde el punto de vista sindical y empresarial, los pactos mencionados constituían un instrumento para intervenir en la elaboración de la política económica y social del país, con repercusión directa en los intereses generales de los trabajadores.

La importante labor desarrollada por estos profesionales produce sus frutos y, por Real Decreto de 30 de Abril de 1982 les fue concedida la Medalla de Oro de la Condecoración «al Mérito en el Trabajo», en atención a los méritos y circunstancias que concurren en los Colegios Oficiales de Graduados Sociales y en su Órgano Rector, en concreto por la contribución a la pacificación y al desarrollo de un clima de cooperación en el sistema de relaciones laborales, así como por la defensa realizada de la profesión de Graduado, la cual ha redundado en el prestigio social y profesional que disfrutan en este momento.

A mediados de los años 80, la labor legislativa fue completada en aquellas parcelas huérfanas de normativa reguladora, siendo redactadas y entrando en vigor destacadas leyes como la 30/1984, de 2 de agosto, de Medidas para la Reforma de la Función Pública; 31/1984, de 2 de agosto, de Protección por Desempleo; 33/1984, de 2 de agosto, sobre Ordenación del Seguro Privado; 26/1985, de 31 de julio, de Medidas Urgentes para la Racionalización de la Estructura y de la Acción Protectora de la Seguridad Social; 3/1987, de 2 de abril, General de Cooperativas; o, en el ámbito de las relaciones colectivas, la Ley Orgánica 11/1985, de 2 de agosto, de Libertad Sindical, ampliando el campo de actuación a los Graduados Sociales ya avanzado por las facultades de asesoramiento y mediación en la negociación colectiva tanto estatutaria como extraestatutaria.

En esta época, a finales de 1986, nace el Boletín Informativo del Consejo, bautizado como «Puntal», de distribución trimestral y con una tirada de unos 14.500 ejemplares, que posteriormente ha ido cambiando de nombre hasta el actual «Revista del Consejo General de Graduados Sociales». En su interior aparecen reflejados los momentos clave de la historia legislativa española, así como la vida colegial y el día a día de la profesión; proporciona información sobre aquellos extremos de interés para quienes desempeñan su actividad en el campo de las relaciones laborales, publica artículos doctrinales e interesantes entrevistas de cuantos constituyen referentes en este ámbito a nivel español, europeo y mundial y constituye, al cabo, un valioso instrumento de comunicación e intercambio de pareceres para los Graduados, así como para acercar la labor desempeñada por estos profesionales al conocimiento público.

3. LA ENTRADA DE ESPAÑA EN LA COMUNIDAD ECONÓMICA EUROPEA

Con la solicitud del Gobierno español al Consejo de Ministros de las Comunidades Europeas de 26 de julio de 1977, se inició formalmente el proceso para la entrada de España en la Comunidad Económica Europea. El ejecutivo liderado por Adolfo Suárez dio un claro impulso en las relaciones con Europa, abriéndose un diálogo directo y decidido que condujo, el 5 de febrero de 1979, a la apertura de las negociaciones para la adhesión. Los sucesivos Gobiernos de Leopoldo Calvo-Sotelo –con quien España ingresó en la OTAN– y de Felipe González continuaron trabajando con esmero por el resultado final, ampliamente respaldados por el consenso alcanzado entre los grupos políticos con representación parlamentaria. El proceso, prolongado durante siete años, estuvo protagonizado por la adaptación de la economía española a las reglas comunitarias, existiendo periodos transitorios en el ámbito de la producción agraria y pesquera y en otros como aduanas, monopolios, servicios , destinados a permitir la integración progresiva de concretos sectores productivos.

Finalmente, el 12 de junio de 1985, España y Portugal firman el Tratado de Adhesión a las Comunidades Europeas. Tras la firma del Tratado en Lisboa, en Madrid, en el Salón de Columnas del Palacio Real, el Presidente del Gobierno (Felipe González), el Ministro de Asuntos Exteriores (Fernando Morán), el Secretario de Estado de Relaciones con las Comunidades Europeas (Manuel Marín) y el Embajador Representante Permanente ante las Comunidades Europeas (Gabriel Ferrán) firmaron el Tratado de Adhesión de España a las Comunidades Europeas, ratificado por unanimidad en el Congreso de los Diputados y entrando en vigor de forma efectiva el 1 de enero de 1986.

A partir de entonces, el devenir conjunto de las Comunidades Europeas ha sufrido una vertiginosa transformación acometida mediante la modificación de los tratados fundamentales: en 1986, por el Acta Única europea; en 1992, por el Tratado de la Unión Europea, firmado en Maastricht; en 1997, por el Tratado de Ámsterdam; y en 2001, por el Tratado de Niza. Con tales reformas, han sido alcanzados los grandes objetivos de construir un espacio único caracterizado por la libre circulación de personas y mercancías y contar con una moneda única. Igualmente, suponiendo al tiempo significativos cambios en el ámbito laboral y de Seguridad Social. La adopción de disposiciones legales destinadas a mejorar las normas de empleo y los derechos de los trabajadores constituye uno de los más importantes logros de la Unión en el sector social y su finalidad última pasa por garantizar que la creación del mercado único no suponga ni una rebaja en la normativa laboral ni distorsiones a la competencia.

Desde su entrada, España tuvo que adaptar su ordenamiento a las directrices marcadas por Europa en este ámbito, destacando las reformas introducidas en materia de no discriminación laboral entre mujeres y hombres, protección de la salud y seguridad en el trabajo, libre circulación de trabajadores, coordinación entre los sistemas de Seguridad Social de los distintos países miembros y mostrando una mayor preocupación por las personas con discapacidad o de mayor edad.

En consonancia con la evolución y las alteraciones derivadas del ingreso en la hoy Unión Europea de los 25, el compromiso exigió un serio planteamiento de formación y reciclaje por parte de los Graduados Sociales para lograr su equiparación con los profesionales del resto del continente, para ampliar su conocimiento de la normativa comunitaria con vistas a proporcionar un completo servicio a sus clientes y para facilitar y garantizar la libre circulación. Afrontando con responsabilidad el reto, el Consejo General de Graduados Sociales, desde los primeros tiempos, decidió asumir el importante papel de convertirse en el guía de la profesión y avanzar en la comunicación con el resto de asociaciones europeas. De esta forma, entró a formar parte como miembro de derecho de la Red Europea de Cooperación empresarial *Business Cooperation Network* (BC-NET) −mediante el cual es posible intercambiar ofertas y demandas planteadas entre empresas en temas de cooperación financiera, comercial o técnica−, integrado en un proyecto global de servicios denominado EUROCONEXION, que pretendió atender la pluralidad de ofertas y necesidades en el campo de la información o la cooperación transnacional.

En parecido sentido, los Graduados Sociales advirtieron la imperiosa necesidad de crear foros y organizaciones a nivel supraestatal, a cuyo efecto fue creado el 19 de noviembre de 1993, en Bruselas, el Club Europeo de las Profesiones Laborales, reunido por primera vez en Roma los días 14 y 15 de abril de 1994. Los Graduados Sociales españoles siempre han detentado un significativo peso en dicho organismo; como mera muestra, su primer Presidente fue el del Consejo General de Graduados Sociales de España, D. Francisco Rojo Romón −en cuya memoria ha sido recientemente creado un galardón para potenciar los valores de estudio, trabajo y dedicación profesional efectiva− y, nuevamente en 1999, y tras la sucesión interna, D. José Blas Fernández Sánchez era designado segundo Presidente de la citada organización europea.

4. LA POLÉMICA EN EL USO DE LA TOGA POR EL GRADUADO SOCIAL Y LA POSICIÓN EN ESTRADOS

La promulgación y entrada en vigor de las sucesivas leyes procesales sirvió para definir y concretar las facultades que componen la actividad en estrados desarrollada por los Graduados Sociales, mas tal *iter* normativo no estuvo exento de polémica ni de inevitables conflictos con el resto de profesionales jurídicos.

La encarnizada lucha llevada a cabo por los Graduados Sociales por defender su derecho a usar toga constituye fiel reflejo de la anterior afirmación, pues constituye un símbolo de prestigio, marca la diferencia en estrados entre los «oficiantes» de la «ceremonia» de la liturgia y los justiciables, colaboradores ocasionales o meros observadores, en tanto la dignidad y solemnidad de los actos judiciales compromete, en buena medida, el debido respeto a los ciudadanos y a la función que ejercen.

En definitiva, la toga es la «brillante armadura» de quienes han consagrado su vida a la representación y asistencia también en el seno de la jurisdicción social y la encendida lucha llevada a cabo por los Graduados Sociales en este campo no es más que una defensa de la dignidad de sus representados, de sus clientes y de la profesión que ejercen.

El propio Tribunal Constitucional en su Sentencia 2/1995, de 10 de enero, respalda este simbolismo al sentar cómo «el uso de la toga es un símbolo puesto al servicio de la dignificación del acto procesal y, en general, de la función judicial. En este sentido, no es un privilegio, sino un derecho-deber que en la Ley Orgánica del Poder Judicial ha servido, además, para igualar "litúrgicamente" a todos los intervinientes como profesionales en las audiencias públicas. Antes de la Ley Orgánica del Poder Judicial de 1985 el estrado comprendía dos alturas. A partir de esta Ley (art. 187.2) se acaba con esa jerarquización, imponiendo la estricta igualdad entre todos los profesionales que intervienen en la audiencias públicas».

El largo y dificultoso camino recorrido desde finales de los años ochenta y comienzos de los noventa para acceder a este derecho-deber en las actuaciones procesales comenzó cuando el Colegio Oficial de Graduados Sociales de Barcelona, siendo su Presidente D. Vicente Cardellach Maza, presentó al Departamento de Justicia de la Generalidad de Cataluña, a efectos de su preceptiva inscripción, copia de los nuevos Estatutos aprobados en la Junta General de 15 de junio de 1989. Su artículo 17.h) reconocía a los colegiados el derecho «de usar el traje profesional o toga», inciso considerado ilegal por la Administración catalana.

Impugnada la resolución administrativa y habiendo obtenido resolución favorable en los Tribunales catalanes, el Consejo General de Colegios Oficiales de Graduados Sociales emitió la Resolución de 22 de diciembre de 1992 facultando al Presidente para tomar las medidas pertinentes en orden a establecer el uso de la toga con carácter general, debiendo ser diferenciada de la vestida por otros profesionales, para evitar confusiones, y única para todos los Colegios, impidiendo disparidades entre los modelos provinciales. Asumiendo tal responsabilidad, el Acuerdo del Consejo General de Colegios Oficiales de Graduados Sociales de 13 de enero de 1993 procedió a reglamentar el traje profesional a usar en tomas de posesión, actos académicos y colegiales, solemnidades oficiales y en cualesquiera otros de carácter profesional que así lo requirieran, diferenciando según el sexo de quien lo porte: si mujeres, traje sastre negro sobre blusa blanca, con zapatos, corbata o lazo negro y medias en consonancia; si varones, traje, corbata, calcetines y zapatos negros, con camisa blanca. Además, imponía el uso del traje talar sobre las vestimentas descritas y mostrando el emblema profesional en su solapa izquierda. La toga habría de ser igualmente negra, con esclavina posterior de forma triangular, vueltas en las mangas y delanteras concluyendo con un recorte en forma de cuello y prolongadas hasta abajo, con una anchura de ocho centímetros; tanto la esclavina como las vueltas delanteras y de las mangas irán ribeteadas con cordoncillo verde hoja, color característico de los Graduados Sociales.

Con el correr de los tiempos, esta toga quedaba obsoleta y constituía una manifestación más de desigualdad injustificada entre los diversos profesionales jurídicos. Por tal motivo, en la reunión de 7 de abril de 2003 del Consejo General de Colegios Oficiales de Graduados Sociales, el Presidente del Consejo General de Graduados Sociales, D. Francisco Javier San Martín, expone un informe para defender que no existe norma legal alguna que regularice o, cuando menos, ampare que la toga usada por el Graduado Social deba ser diferente a otras profesiones que actúan en el estrado, considerando necesario acordar la igualdad con el resto de las togas, siendo aprobado dicho punto por unanimidad.

Por tanto, a día de hoy, el vestido talar con mangas y esclavina que, como insignia de su función, portan los Graduados Sociales en estrados y en actos oficiales, no varía ni en color ni en forma al del resto de profesiones jurídicas, siendo de color negro –generalmente alpaca o tergal–, por debajo de las rodillas, y con las esclavinas también de raso negro. De igual modo, bajo la toga habrá de llevarse un traje negro, con corbata o pajarita negra, reservando la corbata, camisa blanca y zapatos cerrados negros. Las señoras, cuando usen pantalones, deberán atenerse a lo especificado anteriormente y, cuando usen falda, deberán usar medias y zapatos de salón.

El espaldarazo a las justas aspiraciones de los Graduados Sociales por alcanzar su legítimo lugar ante los Tribunales vino dado por la Sentencia de la Sala de lo Contencioso-Administrativo del Tribunal Supremo, de 8 de febrero de 1995. Este pronunciamiento dio la razón a los Graduados, haciendo alusión expresa a las reformas legales que zanjaron definitivamente el asunto: «el artículo 187.1 de la Ley Orgánica del Poder Judicial contiene una enumeración de las autoridades y profesionales que deben usar toga en los actos que expresa, pero de su lectura no se infiere que tal enumeración constituya *numerus clausus*, significando una prohibición implícita de que otros profesionales, que ejercen sus funciones de representar a las partes en las actuaciones jurisdiccionales del orden social (los Graduados Sociales colegiados), puedan también hacer uso de la toga. Tampoco existe en el ordenamiento una norma legal que vincule la utilización de la toga a los Licenciados en Derecho y en ciertos supuestos no ocurre así, como acontece con los Consejeros Permanentes del Consejo de Estado (artículo 92 del Reglamento Orgánico de 18 julio 1980, en relación con el artículo 7 de la Ley Orgánica 3/1980, de 22 abril). La toga está al servicio de la solemnidad de las actuaciones jurisdiccionales y demás actos en que deba vestirse y, desde este punto de vista, resulta lógico que se exija a los Graduados Sociales colegiados cuando intervienen profesionalmente representando a las partes en dichas actuaciones».

El Máximo Órgano jurisdiccional puso en conexión los artículos 440.3 de la Ley Orgánica del Poder Judicial, que reconocía al colectivo su derecho a la representación «en los procedimientos laborales y de Seguridad Social», y el artículo 187.1 de la misma norma, el cual ordenaba cómo «en audiencia pública, reuniones del Tribunal y actos solemnes judiciales, los Jueces, Magistrados, Fiscales, Secretarios y Procuradores usarán toga y, en su caso, placa y medalla de acuerdo con su rango».

Así las cosas, el mentado artículo 187.1, al hacer el enunciado de los obligados a usar toga, implícitamente vendría a afirmar que cuantos protagonizan de alguna forma las actuaciones judiciales en él referidas deben hacer uso de ella, pues la finalidad última viene dada por la dignidad de los actos públicos mencionados, señalándose, además, que la omisión de los Graduados Sociales podría atribuirse a un mero olvido por el hecho de haber introducido mediante enmienda el inciso del artículo 440.3, fácilmente subsanable por medio de interpretación sistemática.

Finalmente, el legislador consideró oportuno solventar la duda interpretativa surgida por los términos empleados y en la nueva redacción del artículo 440.3, realizada por el artículo 19.2 de la Ley Orgánica 16/1994, de 8 de noviembre, de reforma parcial de la Ley Orgánica del Poder Judicial, zanja definitivamente cualquier posible discusión al imponer a los Graduados Sociales colegiados la obligación de utilizar la toga en la forma expresada en el artículo 187.

Más recientemente, la igualdad de derechos con cuantos puedan ejercer la representación en un proceso judicial ha sido definitivamente reconocida para el Graduado Social por la actual redacción de los artículos 187 y 545.3 de la Ley Orgánica del Poder Judicial, tras las reformas operadas por las Leyes Orgánicas 16/1994, de 8 de noviembre, y 19/2003, de 23 de diciembre, las cuales, además, clarifican los cometidos a ellos encomendados al calificar su representación como «técnica».

El último combate para la defensa de la dignidad de la profesión y su actuación en pie de igualdad con el resto de operadores jurídicos en estrados viene dado por el Acuerdo de 23 de noviembre de 2005, del Pleno del Consejo General del Poder Judicial, por el que se aprueba el Reglamento 2/2005, de honores, tratamientos y protocolo en los actos judiciales solemnes, en cuyo artículo 33 se blindaba el uso de la toga a Fiscales, Secretarios, Abogados del Estado, Abogados y Procuradores en actos solemnes judiciales y actos jurisdiccionales que tengan lugar en los estrados. Advertido el error por el Presidente del Consejo General de Graduados Sociales de España, el día 27 de diciembre de 2005 se publica en el Boletín Oficial del Estado la corrección de errores al mentado Acuerdo incorporando a los Graduados Sociales en el elenco de profesionales jurídicos con el derecho-deber de usar toga en los actos solemnes judiciales y actos jurisdiccionales que tengan lugar en estrados.

5. LOS PRIMEROS AÑOS NOVENTA

En el plano político, a partir de 1990 se inició una época de diálogo bi-partito (Gobierno y sindicatos o asociaciones empresariales), cuyos conte-nidos pueden ser desgranados en acuerdos parciales. Mediante tal sistema se firmaron varios pactos de gran trascendencia para cuantos ejercían sus funciones en esta parcela especializada del ordenamiento: sobre pensio-nes no contributivas y protección familiar (dando lugar a la Ley de 20 de diciembre de 1990, hoy integrada en la LGSS), mejora de las pensiones contributivas y garantía de su poder adquisitivo, compensación de la deu-da social de los empleados públicos, aumento de la base de cálculo de sus incrementos retributivos e introducción de cláusulas de revisión salarial, control sindical de los contratos, negociación colectiva de los funcionarios públicos y del personal dependiente de la Administración del Estado o, por no seguir, extensión del subsidio agrario a los trabajadores eventuales. Además, cabe dar cuenta del Acuerdo Nacional sobre Formación Conti-nua, ratificado el 26 de diciembre de 1992 por CEOE, CEPYME, CC.OO. y UGT –con la posterior adhesión de CIG– y más tarde renovado en sus versiones II y III el 19 de diciembre de 1996 y el 19 de diciembre de 2001, respectivamente.

Pero no sólo los agentes sociales han de ser considerados interlocutores válidos, pues los Graduados Sociales, a través de sus órganos colegiados, han expuesto múltiples y variadas sugerencias y reivindicaciones para la formulación de normas a través de informes solicitados por el Ministro de Trabajo y Seguridad Social, tal y como aconteció en 1993 a fin de encarar la inminente reforma laboral acometida en el siguiente año.

A mediados de los años noventa se suscriben, por CEOE, CEPYME, UGT y CC.OO., los Acuerdos sobre Solución Extrajudicial de Conflictos Labora-les (ASEC-I y ASEC-II) y sus respectivos Reglamentos de desarrollo el 25 de enero de 1996 y el 31 de enero de 2001, los cuales instauran un sistema de solución de conflictos que descansa bien en la utilización de mediadores y conciliadores que propicien un acuerdo entre las partes, bien en el recurso a un Tribunal arbitral. Lo que sí merece mayor atención, en ambos casos, es la posibilidad de que tales responsabilidades puedan ser asumidas, como de hecho lo son frecuentemente, por Graduados Sociales.

Al anterior (en sus sucesivas ediciones) siguieron otra serie de pactos entre el Gobierno y las asociaciones sindicales y empresariales más repre-sentativas a nivel estatal, convertidos más tarde en leyes negociadas. Así ocurrió, junto con los ya mentados sobre formación profesional, en mate-rias como la financiación del ASEC (18 de julio de 1996), prevención de riesgos laborales (25 de julio de 1996), consolidación y racionalización del sistema de Seguridad Social (9 de octubre de 1996), empleo y protección social agrarios (4 de noviembre de 1996) o política de inversiones y empleo agrario (14 de noviembre de 1996).

En estos primeros años de la década de los noventa el número de Graduados Sociales alcanzó los 15.000 colegiados, crecimiento profesional sin duda parejo a los cometidos y el prestigio del que resultan acreedores dentro del campo de las relaciones laborales. En 1996, ante la necesidad de una adaptación a las exigencias legales establecidas por el Real Decreto-Ley de 7 de junio de 1996 en materia de Colegios Profesionales y ante el espectacular desarrollo de la profesión, se aprobó el nuevo texto de los Estatutos de los Colegios Oficiales de Graduados Sociales; además de regular el régimen de adquisición, denegación y pérdida de la condición de colegiado, sus derechos y deberes, el funcionamiento de sus órganos de gobierno, y su régimen económico y disciplinario, destaca la colegiación única para todo el territorio nacional. La notable expansión ha propiciado el consiguiente desarrollo de los Colegios provinciales y del Consejo General, pasando este último por diversas sedes hasta su actual ubicación en la calle Rafael Calvo de la capital española.

Y es que, a lo largo de los años, el legislador ha ido ampliando las funciones del colectivo al hilo de las reformas realizadas en la normativa social, sin olvidar que también los Jueces y Tribunales reconocieron expresamente (por ejemplo, la Sentencia de la Audiencia Provincial de Barcelona, de 9 de diciembre de 1988) cómo la expresión legal «Graduado Social» presente en el texto de la entonces vigente Ley de Procedimiento Laboral describía a un profesional en el proceso con iguales derechos y obligaciones que los que hasta ahora las ejercían en exclusiva, por lo que a su condición de representante agregaba la aportación de asistencia técnica al representado, carácter hoy en día asumido *de lega data* por el artículo 545.3 de la Ley Orgánica del Poder Judicial.

Retomando el discurso, el artículo 76.3 de la Ley 11/1994, de 19 de mayo, por la que se modifican determinados artículos del Estatuto de los Trabajadores (igual redacción aparecerá en el Real Decreto Legislativo 1/1995, de 24 de marzo, por el que se aprueba el Texto Refundido de la Ley del Estatuto de los Trabajadores), confiere a los sindicatos más representativos y los simplemente representativos la elección de los árbitros para la resolución de controversias electorales entre licenciados en Derecho, Graduados Sociales, así como titulados equivalentes, encontrando posterior desarrollo en el Real Decreto 1844/1994, de 9 de septiembre, por el cual se aprueba el Reglamento de elecciones a órganos de representación de los trabajadores en la empresa.

También la elaboración y entrada en vigor del Real Decreto Legislativo 1/1994, de 20 de junio, por el que se aprueba el Texto Refundido de la Ley General de la Seguridad Social, así como sus cada vez más numerosas y complejas normas de desarrollo, hace más aconsejable y oportuno el papel de los Graduados Sociales en las empresas, como asesores y gestores para llevar a cabo las altas, bajas y cotizaciones y demás incidencias derivadas de la contratación de trabajadores.

En fin, otras leyes promulgadas en este lapso temporal y capaces de transformar el panorama ius-laboral y el campo de actuación de los Graduados Sociales serían la Ley 14/1994, de 1 de junio, sobre Empresas de Trabajo Temporal; el Real Decreto 735/1995, de 5 de mayo, que regula las agencias de colocación sin fines lucrativos y los servicios integrados de empleo, el Real Decreto 505/1985, de 6 de marzo, de Organización y funcionamiento del Fondo de Garantía Salarial; la Ley 31/1995, de 8 de noviembre, de Prevención de Riesgos Laborales. Además, también se han ido ganando batallas más allá del ejercicio como profesionales libres, habida cuenta la Resolución de 2 de febrero de 1995 del Ministerio de Administraciones Públicas consideró requisito suficiente el título de Graduado Social y/o Diplomado de Relaciones Laborales para participar en las pruebas selectivas al Cuerpo de Secretarios Interventores de la Administración Local con habilitación nacional.

La lucha y el duro trabajo diario –muchas veces anónimo– que ha propiciado tantos logros merece, antes o después, justa distinción y público agradecimiento. Por tal motivo, el 12 de abril de 1993 se aprueba el Reglamento de Honores y Recompensas del Consejo General de Colegios Oficiales de Graduados Sociales, reconociendo la existencia de las Medallas de oro, plata y bronce al mérito colegial, de las que han resultado merecedores un relevante número profesionales incrementado día a día, sin posibilidad de descender aquí a su listado por razones de espacio.

6. LA REFORMA LABORAL DE 1997 Y LA REVOLUCIÓN TECNOLÓGICA

A finales de los noventa, sintiendo ya el aliento del cambio del siglo, a través de pactos y acuerdos al máximo nivel se procedió a modificar las normas básicas encargadas de regular las instituciones laborales, provocando, por ello, una pronta respuesta de los Graduados Sociales, quienes afrontaron el reto de su estudio y aplicación en un tiempo récord.

El 28 de abril de 1997 se suscriben dos pactos por CEOE, CEPYME, CC.OO. y UGT: el Acuerdo Interconfederal sobre Negociación Colectiva (AINC), verdadera «apuesta» por el futuro de la autonomía colectiva –sustituido por sus nuevas versiones hasta la hoy prorrogada y vigente de 2005–, y el Interprofesional sobre Cobertura de Vacíos (AICV), con una duración prevista de cinco años sin considerar una eventual prórroga.

Sin embargo, el más importante de los ratificados aquel año fue el Acuerdo Interconfederal para la Estabilidad en el Empleo (AIEE), asumido por el Gobierno y convertido en el Real Decreto Ley 8/1997, de 16 de mayo, de medidas urgentes para la mejora del mercado de trabajo y el fomento de la contratación indefinida, complementado por el Real Decreto Ley 9/1997, de 16 de mayo, sobre incentivos en materia de Seguridad Social y de carácter fiscal para el fomento de la contratación indefinida y la estabilidad en el empleo; más tarde convalidados y transformados ambos en las Leyes 63 y 64/1997, de 26 de diciembre. En el año siguiente, el Pacto de 13 de noviembre entre el Gobierno y CC.OO. y UGT fue convertido en el Real Decreto Ley 15/1998, de 27 de noviembre, de medidas urgentes para la reforma de la regulación del contrato de trabajo a tiempo parcial y en la Ley 24/1999, de 6 de julio, encargada de modificar el artículo 92.2 ET y la Ley reguladora de las Empresas de Trabajo Temporal.

En el marco de las Recomendaciones incorporadas al Pacto de Toledo, y plasmadas en el Acuerdo Social de octubre de 1996, se alcanzó el Acuerdo para la Mejora y el Desarrollo del Sistema de Protección Social (9 de abril de 2001), entre el Gobierno, CEOE, CEPYME y CC.OO., instrumentándose a través de las Leyes de Acompañamiento y del RD Ley 16/2001, de 27 de diciembre, convertido en la Ley 35/2002, de 12 de julio, de medidas para el establecimiento de un sistema de jubilación gradual y flexible.

De forma paralela, la intervención en este campo de los Graduados Sociales ha seguido creciendo y desarrollándose a través de la participación de un Graduado Social en la Comisión de Expertos para informar de la redacción del Real Decreto-Ley 15/1998, de 27 de noviembre, a modo de sugerencias –atendidas– realizadas por el Consejo General o con la firma de un Convenio mediante el cual éste colaborará en lo sucesivo en la difusión de las leyes laborales y, al tiempo, formará parte de las Comisiones Consultivas.

Quizá las reformas legislativas resumidas a vuelapluma son menos importantes que las transformaciones acaecidas en la sociedad española durante este tiempo, como son la introducción y la extensión de las nuevas tecnologías, la generalización en el uso de Internet, los sensibles efectos de la globalización Y los Graduados Sociales, y con ellos el Consejo General, deben adaptar su funcionamiento a esta nueva coyuntura y no quedarse obsoletos. A tal fin, supieron subirse con premura al carro de las nuevas tecnologías en respuesta a la Orden de 3 de abril de 1995, sobre uso de medios electrónicos, informáticos y telemáticos en relación con la inscripción de empresas, afiliación, altas y bajas de trabajadores, cotización y recaudación en el ámbito de la Seguridad Social, la cual hizo realidad el Proyecto RED (Remisión Electrónica de Documentos) y, a la par, fue capaz de reducir el intrusismo en la profesión colegiada.

Con idéntica finalidad, el Consejo General de Graduados Sociales, en tanto profesionales responsables del asesoramiento fiscal de pequeños y medianos contribuyentes, firma en el año 1996 el Acuerdo de Colaboración con la Agencia Estatal de Administración Tributaria, permitiendo la gestión informatizada de las declaraciones tributarias, la atención diferenciada o el acceso a la información sobre proyectos de disposiciones.

También en el año 1996, el Consejo General, en su afán por potenciar el repertorio de servicios que los Graduados Sociales brindan a sus clientes y a todos los ciudadanos, además de reforzar la comunicación entre todos estos profesionales se constituye como centro servidor en Internet, actuando como un nodo web; en el año 1999, presenta una nueva página web –www.graduadosocial.com–, que recibió 55.000 visitas en sus primeros meses de vida y ha sido posteriormente renovada para potenciar y dinamizar la profesión.

Por otra parte, el propio Consejo General, a través del Servicio de Euro Conexión, es miembro de derecho de la Red Europea de cooperación empresarial BC-NET, por la Dirección General XXIII y, desde el mes de noviembre de 1996, es corresponsal de la red BRE, la cual constituye una forma pública de encontrar clientes y proveedores a nivel nacional e internacional, poniendo en contacto a una empresa con otra.

7. LA ENSEÑANZA DE LA PROFESIÓN: FORMANDO PROFESIONA-LES PARA EL FUTURO

El ejercicio de la profesión de Graduado Social constituye una meta a alcanzar por los miles de estudiantes que cada año acceden a los estudios especializados en este campo. El Real Decreto 921/1980, de 3 de mayo, ordenó las enseñanzas de los Graduados Sociales, con el carácter de enseñanzas especializadas, tal y como recogía el artículo 46 de la Ley General de Educación. Su plan de estudios fue desarrollado y promulgado el 26 de septiembre de 1980 con carácter común para todas las Escuelas Sociales por la Orden de 26 de septiembre de 1980 con el título de «Plan de estudios para las Escuelas de Graduados Sociales». Dicho plan contenía un importante bloque de asignaturas jurídico-laborales, que formaban con mucho el núcleo temático más importante de toda la titulación; en cuanto al coste, cada curso valía 14.000 pesetas, establecido por Real Decreto de 28 de septiembre de 1983.

Según este plan de estudios, para obtener el título de Graduado Social era necesario superar los tres cursos y superar una reválida de los estudios cursados o bien realizar un trabajo de fin de carrera, según estableció la Orden de 18 de octubre de 1983. Una vez acabados, se obtendría el título de Graduado Social, expedido por el Ministerio de Trabajo con la autorización del Ministerio de Universidades e Investigación. La posesión de este título, en fin, habilitaría para el ejercicio profesional con los requisitos establecidos por la legislación vigente.

Sin embargo, y en respuesta a una exigencia sentida desde mucho tiempo atrás, no será hasta 1986 cuando se produzca un acontecimiento fundamental en su particular historia: el Real Decreto 1524/1986 ordena su plena integración en la Universidad como estudios superiores conducentes a la obtención de un título oficial universitario. A partir de ese momento, el título de Graduado Social Diplomado adquiere pleno valor universitario (superando la simple equivalencia), y se inicia el proceso de integración de las Escuelas Sociales en las distintas Universidades.

A través del Real Decreto 1497/1987, de 27 de noviembre, la normativa reguladora de los estudios volvió a ser nuevamente modificada para atribuir la competencia fundamental a las propias Universidades, encargadas en ejercicio de su autonomía de redactar los planes de estudios a impartir en sus centros, respetando un marco general y uniforme contenido en su Anexo. Así, la carga lectiva global no podría ser inferior a 180 créditos ni superior a 207, pero existiendo una serie de materias troncales –once en total, sumando 114 créditos– «de obligatoria inclusión en todos los planes de estudio conducentes a la obtención del título oficial».

En desarrollo de lo previsto en la norma antes citada, el Real Decreto 1429/1990, de 26 de octubre, estableció el título universitario de «Diplomado en Relaciones Laborales» y las directrices generales propias a las que habrían de quedar sujetos los planes de estudio conducentes a su obtención. En concreto, establecían la obligación de articular las enseñanzas como un primer ciclo, con una duración de tres años, y fijaba como pilares fundamentales el Derecho de la Seguridad Social, Derecho Sindical, Derecho del Trabajo, Dirección y Gestión del Personal, Elementos de Derecho Público y Privado, Historia Social y Política Contemporánea, Organización y Métodos de Trabajo, Prácticas Integradas, Psicología del Trabajo, Seguridad y Salud en el Trabajo, Acción Social en la Empresa y Sociología y Técnicas de Investigación de Mercados.

A partir de este momento, las Universidades comenzaron a solicitar la homologación de sus respectivos estudios en Relaciones Laborales y la creación de nuevos centros, produciéndose un *boom* en estos estudios. Así por ejemplo, la Comunidad Valenciana creó una Escuela Universitaria de Graduados Sociales en Alicante por Decreto 101/1987, de 17 de agosto; las Escuelas de Murcia, Salamanca y Zaragoza se incorporaron a sus respectivas Universidades por Real Decreto 1353/1987, de 6 de noviembre; igual aconteció con las de León y Oviedo por Real Decreto 1342/1988, de 4 de noviembre; por Real Decreto de 28 de julio de 1989 se crean los centros de Torrelavega, Albacete, Ciudad Real, Cartagena, Zamora, Palencia, Burgos, Soria, Valladolid, Huesca, Logroño y Teruel, adscritas a las oportunas Universidades.

En los años 90 estas Escuelas fueron adaptando y modificando sus planes de estudios a las sucesivas modificaciones legislativas y mediante el Real Decreto 1665/1991, de 25 de octubre, se reconocen los títulos de enseñanza superior de nacionales de Estados miembros que exijan una formación superior mínima de tres años, entre los que se incluyen, claro está, la de Graduado Social.

8. LA APUESTA POR LA FORMACIÓN CONTINUADA DE LOS GRADUADOS SOCIALES

Pese a la excelencia de la educación superior proporcionada en las Escuelas de Graduados Sociales (convertidas en Escuelas de Relaciones Laborales), la formación de los Graduados Sociales no debe acabar ahí, es precisa una aplicación práctica de los conocimientos adquiridos y un estudio en profundidad de aquellas partes de la profesión menos analizadas en la carrera. Por tal motivo, y casi desde sus inicios, se crean las Escuelas Prácticas en las sedes de los Colegios provinciales.

Además, la formación debe ser continua a lo largo de toda su vida profesional, con el fin de estar permanentemente actualizados, y para cumplir tal objetivo, los Graduados Sociales han participado en innumerables congresos, cursos y jornadas, tanto nacionales como internacionales, como, por citar algunos ejemplos, las Jornadas de la Asociación Española de Negociadores, Mediadores y Árbitros Laborales, los Congresos Mundiales, Europeos, Iberoamericanos o Nacionales de Derecho del Trabajo y de la Seguridad Social, Congresos Nacionales de Abogados Laboralistas y Graduados Sociales, Jornadas de Intercambio de Experiencias sobre Conflictos Colectivos de Trabajo en la OIT

También los propios Colegios comenzaron desde sus inicios a organizar multitud de jornadas, cursos, conferencias y encuentros que sirven para el diálogo y la cooperación entre los Graduados Sociales, permitiéndoles analizar y estudiar la aplicación de las nuevas leyes y reglamentos laborales. Por su parte, los Consejos de las Comunidades Autónomas emprenden igualmente la tarea de organizar sus propios encuentros; tal sucede con las Primeras Jornadas Gallegas de Graduados Sociales de 1993, las celebradas en 1998 en la Comunidad Valenciana o el Congreso Andaluz de Graduados Sociales celebrado desde 1989. Por cuanto hace al Consejo General, baste citar las sucesivas ediciones del Congreso Nacional de Juntas de Gobierno de los Colegios de Graduados Sociales, Congreso Nacional de Graduados Sociales, Jornadas Nacionales de Mujeres Graduado Social o los recientes y fructíferos encuentros anuales entre aquél y el Consejo General del Poder Judicial. Además, dada la importancia creciente de estos profesionales, se han ido negociando y firmando un amplio elenco de convenios de colaboración con diversas finalidades entre el Consejo General o los Colegios Oficiales de Graduados Sociales e instituciones de la Administración Pública, el Ministerio de Trabajo, el Ministerio de Justicia, la Agencia Tributaria y muchos otros.

También se han implicado en el ámbito universitario a través de la celebración de Convenios de Colaboración entre los Colegios Oficiales y las respectivas Universidades, Escuelas de Relaciones Laborales o Fundaciones Universitarias. Tal sucede con el celebrado entre el Colegio de Las Palmas y la Fundación Universitaria de Las Palmas para el desarrollo de programas de prácticas de Derecho del Trabajo y de Seguridad Social o el Protocolo firmado por el Consejo General y la Dirección de Formación Universitaria del Consejo de Europa en 1989.

Para concluir, es necesario siquiera citar otros convenios sin finalidad puramente educativa pero con igual intención de servir a una mayor excelencia profesional, como son los suscritos con editoriales y empresas encargadas de la elaboración y distribución de programas y materiales informáticos, como pueden, entre muchos otros, ser Praxis, ANCED, Francis Lefebvre, T.S.A.I., Logic Control, A-3 Aplicaciones Informáticas, Lex Nova, A.E.A.T., C.C.S. Profesionales S.L., FORCEM o, por no seguir, FONOCOM.

IV

CUARTA ETAPA (2001-2006). EL GRADUADO SOCIAL EN LOS ALBORES DE LA ESPAÑA DEL SIGLO XXI. ESTADO DE LA PROFESIÓN Y DEL PAPEL DE LOS COLEGIOS PROFESIONALES Y EL CONSEJO GENERAL DE COLEGIOS OFICIALES DE GRADUADOS SOCIALES DE ESPAÑA(*)

1. A MODO DE INTRODUCCIÓN: EL PAPEL DEL GRADUADO SO-CIAL EN LA ESPAÑA DE COMIENZOS DEL SIGLO XXI

Tras el extenso repaso efectuado hasta el momento de épocas históri-cas más pretéritas, llegado este punto del discurso resulta menester parar mientes en el pasado inmediato por el que ha atravesado la profesión de Graduado Social y el papel que desarrollado los Colegios Profesionales (y el Consejo General), tratando a la par de preparar el terreno para afrontar el estudio de su presente actual, pues, como dijera el clásico, «en el pasado y en el presente podemos encontrar siempre las claves del futuro».

Quizá en primer lugar sea oportuno insistir en el papel crucial que los Graduados Sociales han desarrollado –y continuarán desarrollando– en el marco de lo que el artículo primero de la Constitución española de 1978 denomina un «Estado Social y Democrático de Derecho», en tanto profe-sionales expertos en el Derecho del Trabajo y de la Seguridad Social.

A su importancia cuantitativa (más de 25.000 colegiados en la actuali-dad y cientos de miles de personas que han cursado estudios, ya en las an-tiguas Escuelas Sociales, ya en las modernas Escuelas de Relaciones Labo-rales y, en los últimos tiempos, Facultades de Ciencias del Trabajo) se une la innegable trascendencia cualitativa de su cometido (asesoramiento y re-presentación técnica –¿defensa?– de trabajadores y empresarios, gestión de nóminas y seguros sociales y un etcétera tan largo como el lector de seguro ya conoce y las páginas siguientes tratarán de sistematizar en lo posible), que hace que la relevancia y el prestigio social de este grupo profesional hayan ido en constante aumento en las últimas décadas; en consonancia,

(*) Epígrafe elaborado por el Prof. Dr. Rodrigo Tascón López. Universidad de León.

comienzan a sentarse las bases para la creación de un Código Deontológico y la aprobación, por fin, del tanto tiempo esperado Estatuto Profesional.

Para cumplir con el anunciado objetivo de analizar la situación histórica de la profesión en los albores del siglo XXI, procede realizar un estudio consecutivo de tres grandes aspectos; de un lado, la vertiente formativa, esto es, el conjunto de estudios académicos relacionados con el ejercicio de la profesión en el comienzo del presente siglo, ya por constituir condición *sine qua non* para su ejercicio, ya por resultar complementos formativos adecuados en materias relacionadas con el Derecho del Trabajo y de la Seguridad Social, debiendo tomar en consideración, además, que esta situación se veía a la sombra de los importantes cambios que se avecinaban en la Universidad española (y europea) a partir del conocido como Plan Bolonia dirigido destinado a crear el Espacio Europeo de la Educación Superior, de los cuales se dará cuenta con mayor profundidad en el capítulo siguiente.

En segundo término, la actividad profesional, dando cuenta de las competencias y facultades que desarrollaban en este momento reciente los Graduados Sociales (tanto en el ejercicio libre de la profesión, como en su trabajo para la empresa, como, en fin, dentro de los distintos cuerpos funcionariales de las administraciones públicas) y, también, de aquellas otras actividades demandadas por –y para– este colectivo, que el sentido común hacía pensar que serían atendidas en no muy largo lapso de tiempo, como así ha ocurrido con algunas de ellas, según se verá en el capítulo final del presente trabajo.

En fin, el papel desarrollado por los Colegios Profesionales y el Consejo General de Colegios Oficiales de Graduados Sociales de España, los cuales, en estos primeros años del siglo XXI trataron de llevar a cabo una intensa labor destinada a facilitar y potenciar las funciones del Graduado Social, así como a pelear en cuantos foros ha sido (y todavía es) necesario para lograr el reconocimiento de aquellas prerrogativas y competencias que, legítimamente, se considera que deben formar parte de la profesión a la cual representan, como resultado de lo cual se han alcanzado una serie de logros innegables que merecerán ser repasados con detalle.

2. ESTUDIOS ACADÉMICOS CONDUCENTES AL EJERCICIO DE LA PROFESIÓN

La de Graduado Social es una profesión titulada y colegiada, en el más genuino sentido reconocido por el art. 36 de la Constitución, consiguiendo así dotar de seguridad a los usuarios ante las eventuales impericias de los profanos y convirtiéndola en una actividad reglamentada (frente a las denominadas profesiones libres, que no liberales) en cuanto a su delimitación, acceso y ejercicio.

Por tal motivo, resulta evidente que un extremo de máxima importancia pasa por valorar cuáles han sido aquellas titulaciones a partir de las cuales quedaba abierta la vía de la colegiación y, en consecuencia y como paso lógico, el ejercicio mismo, no sólo ya en España, sino también, y a la luz de la Directiva sobre implantación de un sistema general de reconocimiento de títulos de enseñanza superior, de 21 de diciembre de 1988, en todos los países miembros de la Unión Europea.

Además, no resulta en absoluto ocioso analizar aquellos otros estudios universitarios que guardaban relación (más o menos directa) en tanto que sus planes versan (en mayor o menor medida) sobre el Derecho del Trabajo y de la Seguridad Social y, a la par, dar cuenta de las nuevas posibilidades formativas que se abren para el Graduado Social a la luz de las nuevas circunstancias hacia las que se avecina el mundo universitario.

2.1. TITULACIONES ACADÉMICAS QUE EN LA ACTUALIDAD PERMITEN EL EJERCICIO DE LA PROFESIÓN DE GRADUADO SOCIAL Y OTROS ESTUDIOS UNIVERSITARIOS AFINES

2.1.1. La Diplomatura en Relaciones Laborales

Tras una larga evolución histórica, de la que ya se ha dado cuenta en las anteriores partes del presente discurso, la titulación que en estos primeros años del siglo XXI permite la colegiación (y por tanto el ejercicio) como Graduado Social en España era la Diplomatura en Relaciones Laborales, heredera directa de la antigua titulación de Graduado Social –con la que se encuentra equiparada a todos los efectos–, impartida desde el año 1925 en las Escuelas Sociales y desde 1980 integrada en la enseñanza reglada de la Universidad Española.

Las directrices generales de la Diplomatura en Relaciones Laborales quedan establecidas, en cumplimiento y desarrollo del RD 1497/1987, por el RD 1429/1990. A partir de tal referente, fueron después las distintas Universidades las que, en atención a las múltiples posibilidades concedidas por la norma, fueron pergeñando los distintos y concretos planes de estudios que fueron impartidos en un sinfín de centros españoles de educación superior tras haber recibido la pertinente homologación del Consejo de Universidades.

En consecuencia, desde 1990 ha existido *de facto* una doble terminología para referirse a la misma realidad: «Graduado Social» para el profesional colegiado que se encontraba en ejercicio de la profesión y «Diplomado en Relaciones Laborales» para quien hubiera obtenido la titulación que, entre otras varias, le permite desempeñar esta actividad.

La Diplomatura en Relaciones Laborales fue considerada, sin duda, como titulación de contenido eminentemente jurídico-laboral, habida cuenta, si bien el diplomado en esta carrera cuenta con una formación articulada en torno a diversas ramas del saber, en ella juega un papel crucial el estudio del Derecho del Trabajo y de la Seguridad Social.

En efecto, aun cuando las materias relativas a la economía, sociología o recursos humanos tenían su peso específico, puede decirse que las referidas al Derecho del Trabajo y de la Seguridad Social eran claramente mayoritarias, dotando a la Diplomatura de un perfil característico, y convirtiendo a quien obtenía esta titulación en técnico especializado en materia jurídico-laboral, incluidas amplias competencias de representación y asesoramiento técnico, aún en el ámbito más exigente: el proceso judicial.

El hecho de que la materia propia del Derecho del Trabajo y de la Seguridad Social apareciera diseccionada en diversas asignaturas (Derecho del Trabajo, Derecho de la Seguridad Social, Derecho Sindical, Derecho Procesal del Trabajo, Prácticas Integradas, Derecho Laboral Sancionador, Sistemas de Contratación Laboral, Derecho Social Comunitario y Salud y Seguridad en el Trabajo), a la par que permitía un análisis más detallado en sus contenidos que en ninguna otra titulación, hacía, empero, que se corriera el riesgo de proporcionar un enfoque excesivamente parcial y fragmentado, lo cual forzaba al profesor a efectuar una constante tarea de remisión que permitiera al alumno apreciar la interrelación existente entre todas ellas, en tanto área de conocimiento única (aunque, ciertamente, poliédrica) que versa sobre una materia común respecto de la cual los futuros diplomados habían de tener una visión como conjunto.

En cualquier caso, es menester poner de manifiesto cómo, por muy completos que los planes de estudio de Relaciones Laborales pudieran parecer en materias ius-laborales, lo cierto es que era posible apreciar ciertas carencias formativas que permitían afirmar que ni siquiera en dicha titulación se ofrece toda la formación omnicomprensiva que el perfil profesional del futuro Graduado Social requiere.

Baste mencionar, al efecto, temas tan necesarios en el manejo diario del Graduado como son la Seguridad Social Complementaria, la Administración de Trabajo, la gestión informatizada de nóminas y seguros sociales y un largo etcétera que debió ser suplido mediante másteres privados y cursos de postgrado realizados por los diplomados para conseguir una mejor preparación técnica de cara a su futuro ejercicio profesional.

Esta fue una de las razones por las cuales el colectivo de Graduados Sociales demandó con tesón e insistencia una ampliación de sus estudios, una verdadera licenciatura en Ciencias del Trabajo, la cual, empero, no dio el resultado apetecido de cara a lograr una mayor especialización en materias propias del Derecho del Trabajo y de la Seguridad Social.

2.1.2. La Licenciatura en Ciencias del Trabajo

La Licenciatura en Ciencias del Trabajo, de implantación en el momento histórico ahora analizado, no permitió un desarrollo sustancial de los estudios dirigidos al ejercicio de la profesión de graduado social. De hecho, cursar tales estudios no parecía en principio suficiente para proceder a la colegiación y ejercicio como Graduado Social. Sin duda este problema se debe a que la tan esperada titulación superior no fue en la realidad lo que muchos (incluidos los integrantes del colectivo de Graduados Sociales) habían esperado que representaría.

En efecto, la licenciatura en Ciencias del Trabajo –creada por RD 1592/1999, de 15 de octubre– no fue en modo alguno configurada como un segundo ciclo de Relaciones Laborales, llamado a completar la formación proporcionada por esta Diplomatura. Antes al contrario, fue diseñada como una titulación autónoma que, aun cuando tuviera relación con la Diplomatura en Relaciones Laborales (en tanto ambas versaban sobre el fenómeno del trabajo humano), no afectaba en modo alguno a su ámbito competencial.

Dos datos permiten corroborar tal aseveración: de un lado, podían acceder a este segundo ciclo, además de, lógicamente, los diplomados en Relaciones Laborales, quienes lo fueran en Trabajo Social, Gestión y Administración Pública, Ciencias Empresariales y Educación Social y quienes hubieran superado el primer ciclo de los estudios de Derecho, Economía, Administración y Dirección de Empresas, Psicología, Sociología, Ciencias Políticas y de la Administración o Humanidades.

Quedó configurada, así, una titulación abierta no sólo a estudios que profesionalmente guardan relación directa con las cuestiones laborales y que venían demandando también una continuidad en su formación (*verbi gratia* Trabajo Social), sino también a otras titulaciones que poco o nada tenían que ver con el mundo del trabajo humano (como pueden ser Ciencias Políticas o Humanidades), lo cual provocó una pérdida de la esencia de estos estudios universitarios.

El análisis de su plan de estudios permite constatar cómo el Derecho del Trabajo y de la Seguridad Social contaba con una más bien escasa presencia en la troncalidad en esta titulación, lo cual permitía concluir que no era ésta una carrera pensada como especialización para técnicos en materias jurídico-laborales, sino más bien un complemento formativo que incidía sobre distintos aspectos relacionados con el mundo del trabajo (sociología, recursos humanos, psicología, también derecho), pero sin que supusiera una súper especialización en ninguno de ellos.

No obstante esta situación, está claro que la Licenciatura en Ciencias del Trabajo presentó una notable incidencia sobre el espacio profesional del Graduado Social. Así, el Consejo General de Colegios Oficiales de Graduados Sociales de España realizó tareas de estudio con el Consejo General del Poder Judicial para hacer posible que los Licenciados en Ciencias del Trabajo pudieran colegiarse como Graduados Sociales, aportando de esta manera un marco de actuación concreto a una titulación universitaria que, en verdad, no tenía definidas con la suficiente claridad sus salidas profesionales.

Con esta medida se pretendía que aquellas personas que, no siendo diplomadas en Relaciones Laborales, hubieran cursado la Licenciatura (con los oportunos complementos de formación que en cada caso se establecieran) pudieran colegiarse y ejercer como Graduados Sociales, aportando así un aliciente innegable a estos estudios universitarios que hasta ese momento se movían en el limbo de la indeterminación, no obstante lo cual obtuvieron un éxito evidente, tanto por el número de Universidades que los implantaron, como por la abundancia de alumnos (principalísimamente diplomados en Graduado Social y Relaciones Laborales) que decidieron matricularse, superando con mucho las plazas inicialmente ofertadas, y que, dicho sea de paso, el correr del tiempo ha permitido constatar que quedaron un tanto desazonados por la situación ahora brevemente descrita.

2.1.3. Los estudios de Doctorado para ius-laboralistas

Junto a los ya analizados estudios en Diplomatura y Licenciatura, ha de valorarse para el experto en Derecho del Trabajo y de la Seguridad Social una perspectiva académica llamada a crecer de forma importante durante los próximos años, como es el doctorado y que empezó a tener sus primeras manifestaciones específicas en este momento.

En efecto, es evidente que la nueva titulación de Ciencias del Trabajo, aunque permitió el acceso al grado de Licenciado a un buen conjunto de diplomados (como se acaba de ver), lo hizo de modo muy especial en lo relativo a los diplomados en Relaciones Laborales (cuya presencia en los estudios de la licenciatura de Ciencias del Trabajo se viene a situar en torno al 90 por ciento del número total de alumnos).

En consecuencia, la nueva situación permitía descubrir un buen puñado de Licenciados cuya actividad profesional principal giraba en torno al Derecho del Trabajo y de la Seguridad Social y que, de forma totalmente legítima, estaban interesados en seguir una de las sendas que su nueva condición de licenciados les permitía, cual era dedicarse a la investigación (sobre materias jurídico laborales) a través de los estudios de doctorado.

Procede recordar cómo, en este momento histórico, los estudios de tercer ciclo, de conformidad con el RD 778/1998, de 30 de abril, se realizaban bajo la supervisión y responsabilidad académica de un Departamento (aun cuando pueda celebrarse conjuntamente entre varios), articulándose los programas en cursos metodológicos, fundamentales y complementarios, cuya finalidad era la de proporcionar «una especialización al estudiante en su formación investigadora dentro de un ámbito de conocimiento científico, humanístico o artístico» (art. 38 LOU), el cual muy bien podía venir delimitado por el área de conocimiento de Derecho del Trabajo y de la Seguridad Social.

Si hasta este momento había faltado tradición de programas de doctorado específicos sobre materias ius-laborales [salvo, a lo sumo, en grandes universidades, limitándose en el resto a la participación con un curso específicamente jurídico-social en programas de índole más generalista] se debía, sin duda, a la ausencia de un cuerpo de licenciados que tuvieran verdadero interés por investigar acerca de estas materias relacionadas con el Derecho del Trabajo y de la Seguridad Social.

Su aparición tras la implantación de la Licenciatura de Ciencias del Trabajo fue un reclamo que llamó a constituir programas específicos a través de los cuales los Graduados Sociales podían recibir una formación adicional (sobre técnicas de investigación y materias concretas) y conseguir así no sólo un mejor conocimiento de la materia jurídico-laboral, sino incluso contribuir a las bases de su perfeccionamiento y mejora.

Fue éste un momento vital para los estudios de doctorado, propiciando un cambio en la mentalidad universitaria tradicional (a partir de la cual el Tercer Ciclo quedaba reservado a quienes quisieran seguir la senda profesional de la investigación y docencia universitarias), que llevó a valorar esta formación tan peculiar e intensa como unos estudios de perfeccionamiento con valor intrínseco en sí mismos de cara a variadas posibilidades profesionales.

Al menos, así parecía desprenderse de la regulación del Diploma de Estudios Avanzados, que complementaba con un valor propio lo que siempre fue la suficiencia investigadora, obtenida tras haber superado el período de cursos y la realización de un trabajo de investigación tutelado, queriendo dotarse de cierta utilidad a un momento intermedio entre la obtención del título de Licenciado y la colación del grado de Doctor.

Las condiciones en las que se desarrollaba el Doctorado (un número mucho más reducido de alumnos, quienes a su vez cuentan con una mayor madurez, propia de personas ya licenciadas y con un dominio general de la materia, muy apreciable cuando el doctorando era un Graduado Social que lleva tras de sí años de ejercicio profesional) permitían una labor académica que podía alcanzar un nivel de satisfacción muy superior a la desarrollada en los estudios anteriores, tanto para el profesor como, sin duda, para el alumno, que podía profundizar a través de la doctrina y la jurisprudencia en temas de máxima actualidad social, sobre los cuales entonces y siempre resulta(ba) necesario seguir estudiando sobre cuáles pueden ser las mejores vías de solución.

La inquietud intelectual, la discusión y el intercambio de ideas, la participación activa (ya en clases presenciales, ya mediante la elaboración de trabajos que luego habían de ser defendidos y comentados entre todos los integrantes del seminario), eran condiciones que podían llevar a alcanzar unos resultados tan positivos que frente a ello resultaba sumamente pobre argumentar la falta de medios personales o materiales, la cual bien podría haber sido suplida con un apoyo más decidido por parte de las propias

Universidades hacia sus departamentos y el mayor esmero y dedicación de los docentes implicados, derivando, incluso y como ocurre en Universidades centroeuropeas o norteamericanas, hacia la creación de Institutos de Relaciones Laborales donde pudieran desarrollarse en condiciones óptimas estudios de doctorado y cursos de postgrado.

En conclusión; si algo bueno tuvieron los estudios de la Licenciatura en Ciencias del Trabajo (que, como se ha dicho, no respondieron a las expectativas creadas), fue que permitieron el acceso de un buen puñado de ius-laboralistas a los estudios de doctorado, iniciando una senda de investigación que quizá debiera encontrar continuidad en los nuevos caminos que la Universidad actual ha emprendido.

Las ideas hasta ahora apuntadas no han sido pura teoría, sino que trataron de ser llevadas a efecto, con ilusión y entrega, en algunos Programas de doctorado concretos, como por ejemplo el titulado «Estructura y Coyuntura del Derecho del Trabajo», que se comenzó a impartir en la Universidad de León en el año 2004, con la colaboración del Consejo General de Colegios Oficiales de Graduados Sociales de España (con el cual se firmó el oportuno convenio para la colaboración en la impartición de dichos estudios), y que permitió a un buen puñado de Licenciados en Ciencias del Trabajo (la mayoría provenientes de las antiguas Diplomaturas de Graduado Social y Relaciones Laborales) cursar estudios de Doctorado y realizar, por primera vez en España, con una perspectiva propia y de forma sistemática, Tesis Doctorales sobre materias ius-laborales.

2.2. EL FUTURO DE LAS TITULACIONES RELACIONADAS CON LA PROFESIÓN TRAS LA CONSTITUCIÓN DEL ESPACIO EUROPEO DE LA EDUCACIÓN SUPERIOR

Sin lugar a ningún género de dudas, tanto la Universidad española, como la europea, afrontaban en esta época el inicio de un tránsito decisivo en su historia, cuál era el de constituir, a través del conocido como Proceso Bolonia, el Espacio Europeo de la Educación Superior, que, en teoría (la realidad luego no ha sido tan generosa) trataba de homogeneizar las enseñanzas universitarias en todos los países de la Unión Europea, con el crédito europeo como unidad de haber académico [el cual, más allá de la actual consideración de las horas de docencia, valoraría también la calidad y relevancia de la formación recibida y el volumen de trabajo del estudiante, convirtiéndose en un instrumento de medida académica que permita reconocer y comparar fácilmente el nivel y calidad de su *curriculum* académico], facilitando así la libertad de circulación y establecimiento de profesionales por todo el territorio de la Unión.

La estructura de la formación universitaria, asentada sobre los cimientos de la calidad (verdadero Santo Grial de todo el proceso de reforma, en el intento por conseguir una Universidad más competitiva para Europa), quedaría articulada sobre dos niveles académicos en principio bien diferenciados:

De un lado, un primer nivel de grado (con un catálogo de titulaciones que necesitaba de de ser adaptado y homologado en cada país, en un proceso tendente hacia la reagrupación en el cual correspondía al Gobierno fijar las directrices generales y a las Universidades los planes de estudio concretos) de cuatro años de duración y 240 créditos europeos, capaz de proporcionar los conocimientos y habilidades necesarios y suficientes para permitir la incorporación de los estudiantes al mercado de trabajo.

De otro, un segundo nivel de postgrado o especialización –para el acceso al cual es necesario haber superado completamente el primer nivel–, bajo la forma de máster oficial (de uno o dos años de duración y entre 60 y 120 créditos europeos, aun cuando exista una tendencia proclive a establecer el concepto de «formación para toda la vida») que, a la vez, se convertía en un condicionante previo de acceso a los estudios de doctorado –y a la carrera investigadora–, el cual quedaría articulado como un tercer nivel que continuaría constituyendo el máximo grado académico concedido por la Universidad.

Bajo esta perspectiva, quedaba claro que los estudios relacionados con la profesión de Graduado Social (igual que sucedía con los propios de cualquiera otra actividad), estaban llamados a sufrir importantes variaciones, abriéndose en este momento un proceso de estudio para determinar cómo había de quedar articulada la futura titulación conducente a su ejercicio.

Al respecto fue creada una Comisión dentro de la Dirección General de Universidades, la cual aparecía integrada por expertos en materias académico-laborales (con la colaboración de diversos sujetos e instituciones implicadas, entre ellas el Consejo General de Colegios Oficiales de Graduados Sociales de España, que mantuvo diversas reuniones de trabajo, con entrega de un elenco de propuestas dirigidas a mejorar el futuro título de grado) y llevó a cabo una minuciosa labor encaminada a precisar cuál debería de ser el sentido y alcance del plan de estudios incorporado.

El resultado de este arduo trabajo concluyó que era necesario mantener con autonomía propia una titulación dedicada al estudio de los aspectos relacionados con el trabajo humano (algo de lo que llegó a dudarse en algunos momentos iniciales del proceso), cuya denominación vendría a ser la de «Relaciones Laborales y Recursos Humanos»; ahora bien, ya entonces se atisbaba (y hoy podemos estar seguros) que resultaba muy posible que las materias de índole jurídico-laboral se vieran reducidas en los futuros planes de estudio de dicha titulación a favor de otras áreas de conocimiento como la psicología, la sociología, la economía o los recursos humanos.

En cualquier caso, ésta era la titulación que estaba llamada a permitir el acceso a la colegiación y ejercicio de la profesión de Graduado Social, lo cual quizá sembraba una sombra de duda respecto a la preparación técnica obtenida por los estudiantes que la cursaran en el futuro respecto a las materias jurídico-laborales que son propias del colectivo.

Esta perspectiva quizá hubiera debido llevar a reconocer (aunque, como luego se explicará con mayor detalle tampoco parece que haya sido completamente así) que los llamados «másteres oficiales» estaban destinados a jugar un papel significativo en la nueva situación creada en torno a los Graduados Sociales.

En efecto, el sentido de esta «nueva» (al menos en su vertiente pública oficial) clase de estudios parecía ser la de querer proporcionar una formación súper especializada, y de carácter técnico-práctico, a las personas que, habiendo completado el primer grado de estudios en una determinada rama del saber (en nuestro caso, el mundo de las Relaciones Laborales), desearan profundizar y convertirse en expertos en algún aspecto puntual de la misma.

En consecuencia, estas maestrías estaban llamadas a suplir el déficit de formación jurídico laboral presente en la futura licenciatura de Relaciones Laborales y Recursos Humanos, permitiendo una formación de carácter eminentemente práctico que asegurara el desenvolvimiento del alumno en el futuro ejercicio de la profesión y, más aún, permitieran un reciclaje constante de quienes ya son Graduados Sociales pero quisieran permanentemente actualizarse, pues sólo desde la formación continua parece posible un dominio adecuado de una materia tan dinámica y cambiante como el Derecho del Trabajo y de la Seguridad Social.

Esta situación se presentaba (y todavía lo hace) como la alternativa ideal, pero exigía un esfuerzo importante (que quizá ha provocado un cierto compás de espera) tanto de las Universidades (que debían mostrarse generosas para asumir unos estudios que sin duda la sociedad demanda), como de los docentes de las respectivas áreas de Derecho del Trabajo y de la Seguridad Social de cada Universidad (pues eran los llamados a asumir el papel de diseñar tales enseñanzas y comenzar a impartirlas de modo útil y acorde a su nuevo carácter práctico), como de los Colegios de Graduados Sociales (que estaban llamados a apoyar decididamente un sistema capaz de garantizar una solución a la formación de sus nuevos miembros y el reciclaje de los antiguos), como, en fin, de la sociedad en su conjunto y, en particular, de quienes han decidido seguir esta bonita senda profesional, por cuanto quedaban obligados a prolongar su formación durante años (cuatro de grado y al menos uno de especialización) antes de estar verdaderamente preparados para comenzar el ejercicio.

3. FUNCIONES, ACTIVIDADES Y COMPETENCIAS DE LOS GRADUADOS SOCIALES

El colectivo de Graduados Sociales, a lo largo de su ya dilatada historia, ha ido adquiriendo un prestigio social fuera de toda duda como profesionales del Derecho del Trabajo y de la Seguridad Social y a ello ha contribuido, entre otras poderosas razones, el elenco de funciones y roles sociales e institucionales que, con un espíritu de trabajo y sacrificio encomiables, los Graduados Sociales han ido asumiendo, a veces con amparo en alguna facultad legal, otras veces al socaire de una determinación inquebrantable y una vocación por afrontar la gestión de cualquier clase de problemas y cuestiones sociales que pudieran plantearse en el marco de la sociedad española.

La resultante de este conjunto de fuerzas no ha sido sólo la consolidación de la profesión, sino también la conciencia social de que es este colectivo quien legítimamente debe llevar a cabo un amplio elenco de misiones que, en síntesis, podrían sistematizarse como sigue, teniendo en cuenta que se alude al período de referencia ahora estudiado, pero también tomando en consideración que éstas funciones son desempeñadas de manera normal y natural hasta el momento presente, si bien con las ampliaciones de las que se dará cuenta en el capítulo final del presente trabajo.

3.1. LA AMPLIA PANOPLIA DE ACTIVIDADES ASUMIDAS POR LOS GRADUADOS SOCIALES EN LA VIDA SOCIAL

El espectro competencial a desarrollar por el colegiado como Graduado Social ha ido creciendo de forma lenta, a veces conflictiva, pero segura e inexorable a lo largo de los últimos cincuenta años, hasta alcanzar un volumen de posibilidades de actuación no sólo rico y atractivo para quien lo ejerce, sino también útil desde el punto de vista social, al plasmar la defensa de algunos valores de máxima trascendencia en un sistema democrático de relaciones laborales.

Debiendo existir siempre una necesaria concordancia entre la formación recibida y el ejercicio profesional desarrollado, el carácter multidisciplinar de la formación del Graduado Social ha llevado a permitir una práctica profesional abierta y plural, cuyo único denominador común es su conexión con el trabajo, eje vertebrador tanto de los estudios universitarios, como del espectro competencial desarrollado por el Graduado Social.

Cabe advertir de cómo el perfil profesional del diplomado en Relaciones Laborales se muestra bastante más amplio que el del antiguo Graduado Social (entiéndase aquí, no como profesional, sino como titulado), en tanto ya no es sólo (que también) experto en materias jurídico laborales, sino además en otro conjunto de saberes relacionados con el mundo del trabajo.

Es necesario recordar que el Estatuto Profesional del Graduado Social no ha llegado a ser elaborado por el legislador postconstitucional, ni probablemente lo será a corto plazo, al haber asumido la transformación del título de Graduado Social diplomado en el de diplomado en Relaciones Laborales. Por tal motivo, continua siendo referente, en cuanto a las funciones y competencias, el artículo 1 de la Orden de 28 de agosto de 1970, precepto cuya vigencia expresa mantuvo el RD 3547/1977, de 16 de diciembre, que aprobó los Estatutos de los Colegios de Graduados Sociales.

Junto al amplio elenco de funciones allí expresamente reconocidas, el devenir del tiempo ha hecho que, de forma natural, el colectivo de Graduados Sociales haya venido asumiendo, como por aluvión, otro conjunto de tareas relacionadas que han dotado de un perfil moderno a este profesional en el marco de la sociedad española.

Por otro lado, y entrando ya en sus formas de actuación, a la hora de desarrollar la actividad profesional, el Graduado Social cuenta con una triple posibilidad de colegiación: ya como ejerciente de la profesión liberal (en cuyo caso, y a efectos de Seguridad Social, ha de darse de alta como trabajador autónomo, opción elegida por en torno a un 21 por ciento de los colegiados), ya como ejerciente de empresa (mediando entonces una relación laboral en la cual han de concurrir todas las notas características exigidas en el artículo 1 del Estatuto de los Trabajadores, posibilidad por la que se han decantado un 42 por ciento del total), ya, en fin, como no ejerciente (quedándole entonces vetada la posibilidad de desarrollar las actividades propias de la profesión, aun cuando sí desarrollan otras, como, de forma significativa, la prestación de servicios en las Administraciones Públicas, algo que sucede en un 36 por ciento de los casos).

Siguiendo en parte el esquema recién apuntado, y en el intento por sistematizar el vasto elenco de funciones y actividades que los Graduados Sociales han asumido [y siguen asumiendo] en la vida social española, quizá se pudiera hablar de tres grandes bloques dentro de los cuales quedan incluidas la práctica totalidad de competencias desarrolladas por este colectivo:

3.1.1. Actividades desarrolladas en la empresa privada

Resulta un dato harto significativo comprobar cómo, en la actualidad, en España, alrededor del 80 por ciento de las PYMES están gestionadas, de forma directa o a través de asesorías y gestorías laborales, por Graduados Sociales, lo cual muestra, no sólo la preparación exquisita del colectivo para hacer frente a las necesidades reales de la empresa, sino también la confianza que ha lucrado a través de su más de medio siglo de historia. Además, por supuesto, es también muy notable la presencia de Graduados Sociales en la gestión de la gran empresa, quedando incorporados a la propia plantilla de la compañía en alguna de las diversas secciones o departamentos que la integran.

En ambos casos (tanto cuando el Graduado Social trabaja para la pequeña y mediana empresa –normalmente como un colaborador externo, bien profesional liberal, bien por cuenta de un despacho o asesoría–, como cuando lo hace para la grande –en este caso, y de forma habitual, como miembro de la plantilla–), desarrolla (o puede desarrollar) un amplio elenco de funciones entre las cuales, y en una lista *numerus apertus* en la que el lector podrá, sin duda, encontrar nuevos elementos, procede incluir a las siguientes:

– Gestión laboral de nóminas y seguros sociales (eligiendo las mejores opciones en un ordenamiento poblado de deducciones y bonificaciones en las cuotas empresariales), así como, en su caso y si procede, de las posibles mejoras voluntarias que vinculen a una determinada empresa y de las posibles subvenciones que pueda obtener de las Administraciones Laborales. Procede recordar, en este sentido, la STS de 1 de febrero de1961, que reconoció la competencia exclusiva de este colectivo en la confección de las liquidaciones de la Seguridad Social.

– Dirección y gestión de Recursos Humanos, para responder a las necesidades estructurales de la empresa (muy variables en un mundo tecnificado y globalizado) de acuerdo con la normativa laboral y de Seguridad Social. En este sentido, el Graduado Social puede y suele desarrollar un amplísimo elenco de tareas que van desde la selección de trabajadores (a través de las pertinentes pruebas o entrevistas), así como la elección y formalización de la modalidad contractual más adecuada al caso concreto, hasta la elaboración de una política de ascensos, la instrumentación de programas de formación de los trabajadores o la ejecución de los traslados y despidos necesarios para reequilibrar la estructura de la empresa.

– Competencias en materia de prevención de Riesgos Laborales. Al ser el Graduado Social un técnico experto en materias de Derecho del Trabajo y de la Seguridad Social, uno de los ámbitos competenciales donde puede (y suele) encontrar un importante marco de actuación en el seno de la empresa (quizá aquí en no pocos casos como personal de una Mutua de Accidentes de Trabajo y Enfermedades Profesionales) es el de la prevención de riesgos laborales, desempeñando las actividades preventivas propias del nivel básico, medio o superior, de acuerdo con la formación recibida sobre los servicios de prevención.

– Intermediación en el mercado de trabajo. De nuevo, el carácter de especialista en materias ius-laborales, concede al Graduado Social la condición óptima para desarrollar tareas en materia de intermediación laboral; normalmente, en este caso, como trabajadores de una Empresa de Trabajo Temporal o una Agencia Privada de Colocación, eligiendo y formalizando los vínculos laborales más convenientes de acuerdo con la legislación vigente.

– Auditoría Laboral. No es posible dejar de mencionar el papel a desempeñar por este colectivo en materia de auditoría socio-laboral, analizando la información y documentación existentes en la empresa y verificando el cumplimiento de los preceptos legales, advirtiendo, al tiempo, sobre la eficacia y eficiencia de los múltiples procedimientos de gestión utilizados en la empresa.

– Representación de la empresa ante cualquier clase de órganos administrativos y judiciales, así como ante las organizaciones sindicales, jugando un papel destacado en el marco de la negociación colectiva y, en su caso, en la solución de los posibles conflictos que pudieran plantearse.

3.1.2. Actividades en la función pública

Dentro de la Función Pública, los posibles puestos a ocupar por los Graduados Sociales siempre han quedado condicionados por el hecho de que los estudios conducentes al ejercicio de esta profesión tenían la condición de Diplomatura (tanto con anterioridad de Graduado Social, como en la actualidad en Relaciones Laborales). Por tanto, las oposiciones a que estaban habilitados para concurrir sólo alcanzaban hasta el grupo B (con intervalo en su nivel del 19 al 26, ambos inclusive), destacando entre ellas, por su importancia numérica y la cualidad jurídico-laboral de las funciones asignadas, tanto las de Gestión de la Seguridad Social como las de Subinspector de Empleo.

La creación de la Licenciatura en Ciencias del Trabajo debería haber contribuido a permitir [siquiera de forma refleja y con las dificultades ya apuntadas para considerar a esta titulación como una continuación de la Diplomatura], el acceso de los Graduados Sociales que hubieran cursado tales estudios a los puestos del Grupo A de la Administración, en los términos legal y reglamentariamente fijados, si bien cabe advertir de una cierta carencia a la hora de desarrollar en toda su plenitud esta potencialidad.

Por otro lado, una perspectiva de empleo público que los Graduados Sociales pueden desempeñar sería la de la docencia. En este sentido, y en contra de un sentir que cercenó la incorporación del Graduado Social como docente Universitario, resulta necesario precisar que este colectivo puede impartir, tanto docencia práctica, como docencia teórica, en todas las Diplomaturas y licenciaturas dentro de las enseñanzas del actual primer ciclo, no así en lo que atañe al segundo y tercer ciclo (Licenciatura y Doctorado), accediendo a la condición de profesor asociado, sin otro requisito que el de ser especialista de reconocida competencia, acreditando el ejercicio de su actividad profesional fuera de la Universidad.

Con todo, evidentemente, hasta ahora los Graduados Sociales se han visto impedidos para acceder a plazas fijas de plantilla, tanto de Profesor Titular de Universidad como, por supuesto, de Catedrático, en tanto en cuanto el acceso a las mismas requiere la condición de doctor, cuestión ésta que podrá verse remediada, en parte, cuando, a título individual y casi con el carácter de pioneros, algunos Graduados Sociales que ya hayan cursado la Licenciatura en Ciencias del Trabajo se decidan por acceder a los Estudios de Doctorado.

Por otra parte, tampoco es desdeñable la docencia en la enseñanza secundaria, sobre todo a la vista de algunas asignaturas con marcado carácter laboral (como por ejemplo, Formación y orientación laboral –FOL–)

y que, en consecuencia, y tras el pertinente Curso de Aptitud Pedagógica (CAP), muy bien podrían desarrollar (y están ya algunos desarrollando) los Graduados Sociales.

3.1.3. El ejercicio libre de la profesión de Graduado Social

Es ésta, sin duda, la labor más característica desarrollada por los Graduados Sociales, la que exige un mayor esfuerzo técnico de conocimiento y aplicación del Derecho del Trabajo y de la Seguridad Social (no en vano se puede actuar nada menos que ante los órganos judiciales) y la que (esto no puede ser sino un juicio subjetivo) mayor gratificación reporta.

Desde luego, el Graduado Social que ejerce la profesión liberal puede desarrollar una amplísima labor de asesoramiento, tramitación, gestión y representación, en el marco dado por el art. 1 de la Orden de 28 de agosto de 1970 [precepto cuya vigencia expresa mantuvo el RD 3547/1977, de 16 de diciembre, por el que se aprobaron los Estatutos de los Colegios de Graduados Sociales] tanto a favor de la empresa, como de los trabajadores.

Desde su despacho profesional, el Graduado Social puede asumir, por tanto y de forma autónoma, un amplísimo elenco de tareas que van desde la gestión y liquidación de nóminas y seguros sociales, pasando por la auditoría y asesoría laboral de la empresa, hasta la representación técnica de empresarios y trabajadores ante las múltiples instancias laborales.

De entre todas estas funciones, quizá el aspecto técnico más apasionante venga dado por las posibilidades de representación en juicio. En efecto, el artículo 18.1 de la vigente Ley de Procedimiento Laboral alude a cómo, en dichos procedimientos, «las partes podrán comparecer por sí mismas o conferir su representación a Procurador, Graduado Social colegiado o a cualquier persona que se encuentre en el pleno ejercicio de sus derechos civiles».

Además, el tenor del artículo 545.3 de la Ley Orgánica del Poder Judicial, incorporado a través de la reforma acaecida en el año 2003, permite que «en los procedimientos laborales y de Seguridad Social la *representación técnica* podrá ser ostentada por un Graduado Social colegiado».

La incorporación del calificativo técnica, añade un matiz de indudable importancia a la labor de representación que el Graduado Social puede desempeñar pues, sin duda, le permite desarrollar tareas no sólo de estricta representación procesal, sino también de asistencia técnica, incluida la defensa jurídica en el pleito, algo que ya venía sucediendo *de facto* con anterioridad y que la LOPJ ha querido recoger de forma expresa.

En efecto, y aun cuando la cuestión pudo en su momento resultar polémica, lo cierto es que la consecuencia ineludible que se deriva del peculiar sistema de postulación en la instancia en el proceso laboral (en la que no es necesaria una defensa letrada, sino que la parte puede realizar la actividad por sí misma) es que, cuando un sujeto decide no comparecer personalmente, sino a través de representación (por cualquier persona o por un profesional o por un sindicato) está delegando en tal representante no sólo las actuaciones puramente formales, sino también todas las demás actuaciones de fondo que le corresponderían desarrollar a la parte ante el órgano judicial, incluida, sin duda, la defensa jurídica, que sería parte integrante de esa representación técnica que los Graduados Sociales pueden desarrollar en el marco del proceso social.

De esta manera, la profesión de Graduado Social ha reforzado su *status* como profesión jurídica, como prueba el hecho de que recientemente la Sala de Gobierno del Tribunal Supremo haya accedido a que el Presidente del Consejo General pueda intervenir en la apertura del año judicial, en igualdad de derechos y obligaciones que los presidentes de los Consejos Generales de la Abogacía, Procuraduría, Notarios y Registradores, equiparando así de forma plena y a nivel institucional a la Profesión de Graduado Social con el resto de las profesiones jurídicas.

En este sentido, procede no olvidar cómo dicha equiparación como plena profesión jurídica se observa de manera evidente en el Decreto 1665/1991 [directamente derivado de la Directiva 1989/48, en virtud de la cual se establecía un sistema general de reconocimiento mutuo de los títulos de Enseñanza Superior que acreditan una formación mínima de tres años], donde la profesión de Graduado Social ha sido equiparada al resto de las jurídicas a efectos de reconocimiento de aquellas titulaciones universitarias que deben ser reconocidas para habilitar su ejercicio en los distintos países de la Unión Europea.

Con todo, se antoja necesario mejorar y aclarar algunos aspectos técnicos (como, por ejemplo, la correcta incorporación legal de los servicios del Graduado Social al elenco de aquellos que merecen el beneficio de justicia gratuita), lo que fuerza a abogar por continuar en el esfuerzo constante para seguir mejorando técnicamente el ejercicio de la profesión de Graduado Social.

3.2. PRINCIPALES REIVINDICACIONES DE CARA A AMPLIAR EL ELENCO DE COMPETENCIAS DE LOS GRADUADOS SOCIALES

Aun cuando, como se acaba de ver, la labor de los Graduados Sociales era en este momento inicial del siglo XXI intensa y extensa, lo cierto es que desde siempre este colectivo profesional ha tratado de conquistar nuevas fronteras no sólo para conseguir la aptitud legal para desarrollar más competencias, sino también para mejorar sus prerrogativas en el desenvolvimiento de las que ya venía prestando (de sobra conocidas, y aquí ya aludidas, fueron las batallas libradas para obtener la posibilidad de utilizar la toga en los procesos laborales en los que intervinieran y el reconocimiento de su representación como «técnica», lo cual lo convierte, sin duda, en una verdadera «asistencia» o «defensa»).

Es por eso que en este momento, y a pesar de la consolidación lograda por la profesión, quedaban aún varios frentes abiertos en los cuales el colectivo de Graduados Sociales (debidamente representado por los Colegios Profesionales y por el Consejo General) tenían depositadas fundadas esperanzas de poder mejorar la profesión. En este sentido, y entre un elenco que podría ser más amplio, procede mencionar, al menos, los siguientes aspectos puntuales:

De un lado, la principal reivindicación que era sentida en este momento por el colectivo de los Graduados Sociales venía dada por la posibilidad de ejercer sus funciones de representación técnica ante los tribunales laborales en vía de recurso (muy principalmente en lo referente al recurso de suplicación), para conseguir así una continuación lógica y natural del proceso de instancia, en el cual sí han podido intervenir.

De esta forma, el Graduado Social vería sensiblemente aumentadas las competencias en el desarrollo de sus tareas de representación técnica en el seno del proceso laboral, y conseguiría una plena equiparación con el resto de profesiones jurídicas, debiendo quedar subsanado más pronto que tarde un agravio comparativo que hasta ahora le ha privado de su intervención en vía de recurso.

Por otro lado, parecía también necesario potenciar la actuación de los Graduados Sociales en el ámbito de los juzgados de lo Contencioso-Administrativo, permitiendo la intervención en todos aquellos asuntos en los cuales se estén ventilando asuntos que guarden relación directa con el Derecho del Trabajo y de la Seguridad Social. El argumento que justifica tal reivindicación es claro: los Graduados Sociales son los máximos especialistas en la materia y la sede en la que hayan de residenciarse los pleitos (debido a un reparto de competencias de suyo conflictivo) no puede mermar las posibilidades de actuación de quienes mejor cualificados se encuentran para abordarlos.

En la justificación de esta pretensión, servía de argumento el ejemplo de la previsión contenida en el art. 184.6 de la Ley Concursal, en el cual se ampara, en el marco de la jurisdicción civil-mercantil, la representación técnica por Graduado Social de aquellos trabajadores implicados en el procedimiento concursal en todas las materias propias del Derecho del Trabajo y de la Seguridad Social para las que tendrían facultades de representación conforme a la legislación procesal laboral.

En fin, y con carácter general, el Graduado Social, en cuanto técnico en Derecho del Trabajo y de la Seguridad Social, estaba llamado a asumir cuantas funciones resulten necesarias en cada momento histórico para cumplir fielmente su papel. En este sentido, y como destacaba el entonces Ministro de Trabajo, la profesión de Graduado Social se encuentra «en un permanente proceso de innovaciones y adaptaciones a una realidad cambiante y, [en dicho contexto], se abre para la misma un futuro de optimismo en los nuevos espacios de intervención profesional, derivados de los cambios sociales, económicos y demográficos a los que estamos sometidos».

Bajo tal axioma, parecía lógico proclamar sin reparos, por tanto, que los Graduados Sociales estaban llamados a jugar un papel destacado en la nueva sociedad de la España del siglo XXI, desarrollando su labor dentro del marco de actuación de lo que ha venido a llamarse la «nueva cuestión social», mostrando su compromiso de trabajo por tratar de construir una Sociedad más justa, en un marco de convivencia pacífico, moderno y democrático.

Baste un ejemplo señero para comprender este nuevo (o mejor, renovado) rol, que había de traer consigo nuevos trabajos y nuevas tareas para los Graduados Sociales, y con ello nuevos afanes y nuevas luchas: el trascendental papel que, merced al convenio firmado entre la Tesorería General de la Seguridad Social y el Consejo General de Colegios Oficiales de Graduados Sociales de España, los Graduados Sociales desempeñaron durante el masivo proceso de regularización de extranjeros que ha tenido lugar en España. Cuestión ésta de indudable interés en el seno de una sociedad que cada año recibía cientos de miles de inmigrantes (hoy ya no son tantos) y, en consecuencia, vocacionalmente competencia de un colectivo de profesionales que siempre se ha caracterizado por aportar su esfuerzo en cuestiones que presentan un marcado corte social.

En efecto, el Derecho Social ha ampliado considerablemente sus lindes y, al socaire de la globalización, han venido a cobrar interés un conjunto de factores tales como el medio ambiente, la revolución tecnológica o los cambios sociales y demográficos, en los cuales los Graduados Sociales quedaban llamados a jugar un papel creciente, asumiendo cotas de responsabilidad para las cuales, sin duda, se encontraban ya preparados en este momento inicial del siglo XXI.

4. LA ACTIVIDAD DESEMPEÑADA POR LOS COLEGIOS DE GRADUADOS SOCIALES Y DEL CONSEJO GENERAL DE COLEGIOS OFICIALES DE GRADUADOS SOCIALES DE ESPAÑA

Como ya se ha indicado, la profesión de Graduado Social no sólo es titulada, sino también colegiada. El propio Tribunal Constitucional se encargó de dotar, mediante la Sentencia 89/1989, de 11 mayo, de carta de naturaleza a la colegiación obligatoria en atención a los intereses públicos vinculados al ejercicio de determinadas profesiones.

Por tanto, la colegiación se convierte en un requisito imprescindible para el legítimo ejercicio de la profesión, aunque, desaparecida la sanción penal (el actual delito de intrusismo tan sólo castiga el desempeño de una profesión sin la titulación requerida), resulta como consecuencia una ausencia casi total de coacción en orden a conseguir la efectiva colegiación de todos cuantos materialmente desarrollan las tareas propias de la profesión. Por tal motivo, se hace necesaria, amén de una mayor concienciación de quienes comienzan su andadura profesional, una regulación administrativa que sancione de forma contundente este tipo de comportamientos.

En los albores del siglo XXI existían en España (y todavía hoy existen) 42 Colegios Profesionales de Graduados Sociales, que cuentan con más de 25.000 colegiados (entre ejercientes y no ejercientes) y que aparecen agrupados bajo el manto de un Consejo General de Colegios Oficiales de Graduados Sociales de España.

Desde que en el año 1956 se crearan los Colegios Profesionales de Graduados Sociales, la actividad desempeñada por estas entidades ha presentado un carácter ciertamente creciente, siempre en beneficio de los propios colegiados, y con el permanente anhelo de dignificar la profesión de Graduado Social y conseguir un reconocimiento social e institucional adecuado.

La labor de representación institucional y defensa de los intereses de los colegiados desempeñada por todos ellos, siempre ejemplar y en el marco dado por el RD 3547/1977, de 16 de diciembre, que aprobó los Estatutos de los Colegios Profesionales de Graduados Sociales, sería virtualmente imposible de glosar ahora en estas breves páginas.

Centrando la atención en la tarea desempeñada en estos primeros años del nuevo milenio por el Consejo General de Colegios Oficiales de Graduados Sociales de España, cabe decir que su labor representativa e institucional se elevó a cotas ciertamente meritorias, estando presente en todos los aspectos de la vida social que, de forma directa o indirecta, inciden en el colectivo de Graduados Sociales.

Así, y empezando por la vertiente académica, cuna del Graduado Social, el Consejo General se preocupó por intervenir de forma activa y constructiva en el proceso de elaboración de los nuevos estudios de Grado de Relaciones Laborales y Recursos Humanos, los cuales, como ya se ha dado cuenta, venían a responder al proceso de creación del Espacio Europeo de la Educación Superior. En este sentido, tras haber mantenido una reunión con el Director General de Universidades, el 22 de diciembre de 2003, se creó una comisión de trabajo que, el 8 de marzo de 2004, entregó a la ANECA una lista de propuestas concretas que permitieran mejorar la futura titulación.

Además, en esta época y también en lo referente al aspecto formativo, el Consejo General ha amparado los Congresos Estatales de alumnos de Relaciones Laborales/Graduado Social o la creación de la Escuela de Práctica Profesional «Manuel Alonso Olea», con la cual no sólo se homenajea al más insigne de los ius-laboralistas, sino que, mediante un sistema de becas, se ha venido permitiendo la mejora y especialización de un selecto grupo de recién diplomados llamados a continuar la senda de quienes les precedieron en el ejercicio de la noble profesión de Graduado Social.

En cuanto a la dignificación de la profesión hace, es en este momento cuando la Sala de Gobierno del Tribunal Supremo atendió la reivindicación del Consejo General de Colegios Oficiales de Graduados Sociales de España, otorgando a su Presidente la posibilidad de intervenir en la apertura del año judicial, en igualdad de derechos y obligaciones que los presidentes de los Consejos Generales de la Abogacía, Procuraduría, Notarios y Registradores, equiparando así a nivel institucional a la Profesión de Graduado Social con el resto de las profesiones jurídicas y reparando un agravio comparativo difícil de entender.

Además, procede recordar la decisiva labor que el órgano representativo desempeñó en la confección y puesta en funcionamiento de determinados instrumentos informáticos y bancos de datos, en el intento por servir al Estado de Derecho y hacer más fáciles los procedimientos administrativos y de gestión de determinadas Administraciones Laborales, lo cual redunda en beneficio de la sociedad en su conjunto.

Así, es menester aludir al Sistema RED (banco de datos que tanto tiempo y esfuerzo ha ahorrado a las Entidades Gestoras de la Seguridad Social), el Sistema DELTA (que ha facilitado sobremanera la gestión de los accidentes de trabajo a las Mutuas de Accidentes de Trabajo y Enfermedades Profesionales) o los Sistemas CONTRATA y PROGRAMA (que han contribuido a facilitar la misión de los Servicios de Empleo Público en la selección y contratación de trabajadores desempleados).

Mención aparte merecen los ya consolidados encuentros con el Consejo General del Poder Judicial, celebrados periódicamente, donde el Consejo General de Colegios Profesionales de Graduados Sociales de España ha mantenido diversas conversaciones sobre cuestiones del máximo interés para la profesión.

De esta época es el II Encuentro, celebrado en Oviedo en diciembre de 2002, donde se debatió ampliamente acerca de las necesidades de reforma y los retos de la Justicia Social, así como acerca de la aplicación de la LO de Protección de Datos Personales en las pequeñas y medianas empresas.

Igualmente en este momento se produce el III Encuentro celebrado en el año 2004 en León, donde se sentaron las bases para solicitar al Gobierno que se unificara la competencia jurisdiccional en materia de accidentes de trabajo, evitando el lamentable peregrinaje jurisdiccional al que muchas veces quedan abocados quienes tratan de obtener reparación por los daños derivados de una contingencia profesional.

De igual modo, cabe aludir al IV encuentro celebrado en mayo de 2006 en Maspalomas (Grancanaria), donde el acento fue colocado sobre los problemas y retos más importantes a los que se enfrenta el mercado laboral en España: el creciente fenómeno de la externalización, la precariedad laboral, las formas de subempleo que sufren las mujeres o el alcance de la entonces recién aprobada reforma laboral dirigida principalmente a luchar contra la elevadísima tasa de temporalidad.

Por otro lado, también merecen ser destacados de esta época los diversos acuerdos a los que se llegó con diversas instituciones y administraciones de trabajo, todo ello en el intento por mejorar los intereses del colectivo de Graduados Sociales. Así, y como ya se ha indicado, el Consejo General llegó un acuerdo con la Tesorería General de la Seguridad Social, en el marco del XI Congreso de Juntas de Gobierno de Colegios de Graduados Sociales celebrado en Santa Cruz de Tenerife en noviembre de 2004, para potenciar la intervención de los Graduados Sociales como gestores del amplio proceso de regularización de extranjeros que se ha llevado a cabo en España, lo que ha provocado que en torno al 20 por ciento de los procesos de regularización llevados a cabo se hayan efectuado desde despachos de Graduados Sociales, propiciando así la ampliación de competencias para el colectivo y aportando un beneficio social evidente a favor de la Sociedad en su conjunto. Sobre este tema, por cierto, versó luego el IV Encuentro entre el Consejo General del Poder Judicial y el Consejo General de Colegios Oficiales de Graduados Sociales de España celebrado en Palma de Mallorca en octubre de 2005, destacándose el importante papel que los Graduados Sociales han desarrollado, están en la actualidad jugando y habrán de desempeñar en el futuro ante una realidad social compleja y llamada a crecer de forma considerable en los próximos años.

Además de las actividades indicadas (quizá las más reseñables), es menester aludir a cómo durante todo este período (y con vocación de continuidad y futuro) el Consejo General lleva a cabo anualmente una ingente tarea institucional, en la cual entra en diálogo y negociación con numerosos organismos públicos y privados en el intento por mejorar la profesión. Así, en el curso de los primeros años del siglo se mantuvieron infinidad de reuniones con empresas, mutuas, editoriales, y se han celebrado encuentros de ámbito nacional e internacional, siempre con la intención de discutir y abordar los problemas que afectan a los Graduados Sociales y encontrar prontas y oportunas soluciones.

Muchas otras son, sin duda, las actividades desarrolladas por el Consejo General de Colegios Oficiales de Graduados Sociales de España [y muchas más aún las desarrolladas por los diferentes Colegios Profesionales] que merecerían quedar recogidas en la presente glosa y que los límites del tiempo y del espacio impiden destacar como se merece. Sirva esta reflexión final como reconocimiento a su labor durante una época de cambios e incertidumbres que, ciertamente, no han remitido en el momento actual, que se aborda en la siguiente y última parte del presente trabajo.

V

QUINTA ETAPA (2006-2010). LA SITUACIÓN DE LA PROFESIÓN DE GRADUADO SOCIAL EN LA ACTUALIDAD: EL FUTURO ES AHORA Y SIEMPRE(*)

1. EL PAPEL DEL GRADUADO SOCIAL EN UN CONTEXTO PERMANENTEMENTE CAMBIANTE

La situación actual del mundo globalizado es el cambio permanente. Nada permanece inmutado demasiado tiempo y las circunstancias sociales y jurídicas varían a ritmos sin parangón en la Historia azarosa del ser humano. La profesión del Graduado Social, desde luego, no es una excepción a esta ineludible tendencia; antes al contrario, al vivir quien la ejerce tan empapado de realidad (el mundo del trabajo cada vez más tecnificado, la inmigración, la nueva cara de los conflictos sociales), se hace necesario que sus condiciones y circunstancias varíen a un ritmo similar, para adaptarse con flexibilidad y presteza a ese contexto mudable en el que están llamados a operar.

Tal es la razón por la que, apenas un lustro después de la labor de síntesis histórica llevada a cabo para la conmemoración del cincuentenario de los Colegios de Graduados Sociales en España, se haya sentido la necesidad de actualizar una historia que no cesa, y que se ha visto salpicada por multitud de avatares y circunstancias en el final de la primera década del Siglo XXI que merecían de nuevo ser glosadas en un trabajo sistemático de investigación, proporcionando, al tiempo, las líneas maestras por las que discurrirá el ejercicio de la profesión en la segunda década del nuevo milenio.

No es ocioso insistir en el papel crucial que los Graduados Sociales han desarrollado en la conformación de lo que el artículo primero de la Constitución española de 1978 denomina un «Estado Social y Democrático de Derecho», en tanto profesionales expertos en el Derecho del Trabajo y de la Seguridad Social; pero es necesario, al tiempo, abordar y desgranar las nuevas realidades vividas por los Graduados Sociales, que contribuirán al

---

(*) Epígrafe elaborado por el Prof. Dr. Rodrigo Tascón López. Universidad de León.

permanente fortalecimiento de la forma política elegida con tanto acierto por quienes redactaron nuestra carta magna.

Los datos cuantitativos hablan, es conveniente recordarlo una vez más, de una cifra superior a los 23.000 colegiados en la actualidad y de cientos de miles de personas que han cursado estudios, ya en las antiguas Escuelas Sociales, ya en las modernas Escuelas de Relaciones Laborales y, en los últimos tiempos, Facultades de Ciencias del Trabajo; a los que habrá que unir los muchos que seguirán la senda del nuevo Grado en Relaciones Laborales y Recursos Humanos y los varios posgrados sobre temas laborales que en el nuevo contexto universitario habrán de ver la luz.

A ello procede añadir la innegable trascendencia cualitativa del papel que cumplen los Graduados Sociales en la Sociedad actual, del que habrá tiempo sobrado de dar cuenta en las páginas que siguen y que hace que la relevancia y el prestigio social de este grupo profesional se haya ido consolidando (con mucho trabajo, pero también con mucha satisfacción) de forma completa en los últimos años.

Para cumplir con el anunciado objetivo de analizar la situación actual de la profesión en el momento de transición hacia la segunda década del siglo XXI, procede realizar, de nuevo, un estudio consecutivo de tres grandes aspectos; de un lado, la vertiente formativa, esto es, el conjunto de estudios académicos relacionados con el ejercicio de la profesión que, como se verá, han mudado sensiblemente su perfil para adaptarse a los nuevos tiempos del Espacio Europeo de Educación a partir de la materialización (con más o menos fortuna) del conocido como Plan Bolonia que, por cuanto hace a la profesión de Graduado Social, ha dejado datos ciertamente positivos (al equiparar los estudios de Relaciones Laborales al resto de los Grados académicos) y perspectivas de futuro francamente halagüeñas (al permitir el desarrollo de posgrados específicos y cursos puente que contribuirán a mejorar la formación del colectivo), según se verá en el epígrafe correspondiente del presente capítulo.

En segundo término, la actividad profesional, dando cuenta de las competencias y facultades para las que están capacitados y legitimados los Graduados Sociales (tanto en el ejercicio libre de la profesión, como en su trabajo para la empresa, como, en fin, dentro de los distintos cuerpos funcionariales de las administraciones públicas), resaltando, en especial, aquéllas que les han sido permitidas en tiempos recientes, como resultado de reivindicaciones legítimas por las que se llevaba años peleando (muy en especial, la posibilidad de firmar el recurso de suplicación), sin olvidar, empero, cómo aún quedan frentes abiertos respecto a otras facultades que el sentido común hace pensar que pudieran (o debieran) ser ejercitadas por los Graduados Sociales, pero que aún no han encontrado acogida en el ordenamiento jurídico vigente.

En fin, en la última parte del presente capítulo, se glosará el papel desarrollado por los Colegios Profesionales y el Consejo General de Colegios

Oficiales de Graduados Sociales de España, los cuales, en este último lustro han vuelto, de nuevo y como cabía esperar, a llevar a cabo una intensa labor destinada a facilitar y potenciar las funciones del Graduado Social, así como a pelear en cuantos foros ha sido (y todavía es) necesario para lograr el reconocimiento de aquellas prerrogativas y competencias que, legítimamente, se considera que deben formar parte de la profesión a la cual representan, como resultado de lo cual se han alcanzado una serie de logros innegables que merecerán ser repasados con detalle.

2. LA RENOVACIÓN DE LOS ESTUDIOS DIRIGIDOS AL GRADUADO SOCIAL: EL NUEVO GRADO EN RELACIONES LABORALES Y LAS MÚLTIPLES POSIBILIDADES DE ACCESO A ESTUDIOS DE POSGRADO

Al ser la profesión de Graduado Social una profesión colegiada, resulta de suma trascendencia valorar cuáles son los estudios académicos que permiten acceder a la misma. Tal evidencia alcanza especial relieve teniendo en cuenta que tales estudios universitarios (al igual que el resto de titulaciones impartidas en los centros de educación superior) han experimentado un cambio profundo en los últimos años. Si bien aún no es posible valorarlo en toda su magnitud, sí resulta ya factible aportar un balance provisional, muy especialmente en cuanto se refiere a los estudios vinculados a la profesión de Graduado Social.

Sin ningún género de dudas, el hecho de que la titulación de Relaciones Laborales y Recursos Humanos se haya consolidado entre los Grados a impartir (algo de lo que inexplicablemente se dudó a lo largo del proceso de renovación recientemente acometido) merece ser saludada con entusiasmo entre quienes se dedican al ejercicio de la profesión de Graduado Social y entre los iuslaboralistas en general; en particular, por los siguientes motivos que no cabe desconocer.

1. De un lado, porque los estudios que son propios de esta profesión se equiparan a los de otras jurídicas (singularmente el Grado de Derecho), superando la antigua dicotomía que parecía dejar en un segundo rango académico los estudios de Diplomatura (en Relaciones Laborales) frente a la Licenciatura (en Derecho), sin que el nacimiento de la Licenciatura en Ciencias del Trabajo hubiera ayudado a superarla, en tanto en cuanto, como se indica en el capítulo IV, lo cierto es que la creación de estos estudios no contribuyó a la instauración de una especialización de la Diplomatura en Relaciones Laborales, sino a la articulación de unos contenidos híbridos, multidisciplinares y que, en general, no aportaban una formación jurídico-laboral adicional que resultara plenamente satisfactoria.

2. De otro, porque la existencia de un grado específico puede contribuir de forma decisiva a la constitución de posgrados también específicos, tanto a nivel de máster (completando así la formación eminentemente práctica de los graduados y/o antiguos diplomados y licenciados en materias pro-

pias del Derecho del Trabajo) como a nivel de doctorado (consolidando el surgimiento de ciertos estudios de tercer ciclo que ya se había notado tras la aparición de la Licenciatura en Ciencias del Trabajo, y permitiendo así ahondar en las sendas de la investigación en materias jurídico-laborales).

Es de esperar que las Universidades Públicas españolas, así como las diferentes áreas y departamentos de Derecho del Trabajo, hagan el esfuerzo necesario para proporcionar a la Sociedad unos estudios que, sin duda, resultan necesarios, y, al tiempo, que cuenten con el apoyo del Consejo General para acometer tan ímproba tarea.

3. Porque la creación del grado permitirá la constitución de un curso puente, mediante el cual, quienes ya sean diplomados (en Graduado Social o Relaciones Laborales), podrán acceder, mediante la superación de unos complementos formativos mínimos (de duración inferior, en todo caso, a un curso académico) al Grado en Relaciones Laborales y Recursos Humanos, con todas las ventajas a ello inherentes en las que más adelante se abundará.

En suma, de esta nueva situación del acervo universitario, los estudios relativos al mundo (y el Derecho) del Trabajo tienen la posibilidad de salir seriamente fortalecidos, y dependerá de los docentes de las Áreas de conocimiento afines, así como de las empresas y colegios profesionales del sector (pues en el nuevo contexto el apoyo institucional resulta vital para los estudios universitarios desde múltiples puntos de vista: prácticas en empresas, convenios de colaboración para impartición de posgrados) explotar al máximo las oportunidades que el nuevo sistema brinda. En particular, los estudios relativos al Graduado Social en los distintos niveles universitarios merecen quedar sistematizados como sigue:

1. En primer lugar, cabe mencionar el Grado en Relaciones Laborales y Recursos Humanos. Como bien es sabido, el Grado es la titulación elemental y fundamental en el nuevo modelo universitario, que viene a reabsorber en un solo nivel lo que antes eran las Diplomaturas (de tres años) y las Licenciaturas (de cinco años).

Por tal razón resulta fundamental que en el nuevo catálogo de titulaciones se haya conservado con carácter general una específica dirigida al estudio de los aspectos relacionados con el trabajo, la cual ha venido a denominarse Grado en Relaciones Laborales y Recursos Humanos que, como la generalidad de los restantes (salvo algunas excepciones vinculadas a carreras de ciencias como medicina o arquitectura, que tendrán una duración superior), será de cuatro años y contará con una extensión académica de 240 créditos europeos, según un plan de estudios diseñado por cada Universidad.

La esmerada labor de elaboración de los libros blancos de cada titulación quedó, al final, relegada a un segundo plano, en tanto se prefirió preferenciar la autonomía de cada Universidad a la hora de diseñar sus propios títulos. Sea como fuere, lo cierto es que aquel trabajo (en el que tan decididamente participó el Consejo General), no cayó en saco roto, al menos en el campo de actuación ahora tratado, pues gracias a un esfuerzo de sentido común, la implantación del Grado en Relaciones Laborales y Recursos Humanos se ha conseguido de forma más o menos homogénea, salvando pequeñas diferencias, y tomando como referente aquel libro blanco, lo que ha permitido que la carga académica sea muy parecida en todos los planes de estudios que componen la formación de los futuros graduados sociales en las distintas universidades españolas.

De acuerdo a la lógica general del nuevo sistema universitario, este grado ha de ser capaz de proporcionar los conocimientos y habilidades necesarios y suficientes para permitir la incorporación de los estudiantes al mercado de trabajo, no obstante lo cual, existen otros niveles formativos que, como se verá, parecen dotar al estudiante de capacidades y competencias mayores y distintas que, si bien se mira, también van dirigidas a permitir el desarrollo de una profesión con mayor especialización.

Por otra parte, y aun cuando la falta de desarrollo del artículo 36 de la Constitución prive en cierta medida de sentido la siguiente reflexión, los estudios de Grado en Relaciones Laborales y Recursos Humanos son los que habilitan para el ejercicio de la profesión de Graduado Social. Si, como parece factible, el Gobierno se decide a regular de forma completa las denominadas profesiones tituladas colegiadas (cosa que sería deseable), será por tanto el referente que deba manejar, teniendo en cuenta que el propio RD 1393/2007, por el que se regula la ordenación de las enseñanzas universitarias, alude a que el Gobierno, en tales casos, habría de fijar las bases correspondientes a los planes de estudios que habiliten para el ejercicio de tales actividades profesionales.

En cuanto al contenido académico, procede reconocer que en la transformación de Diplomatura a Grado la titulación de Relaciones Laborales ha sufrido ciertas modificaciones estructurales; sin duda, las asignaturas jurídico-laborales mantienen un peso específico importante, incorporándose a la generalidad de planes de estudio las submaterias propias y clásicas en las que este hectárea de conocimiento se divide: a saber, Derecho del Trabajo, Derecho de la Seguridad Social, Derecho Sindical, Derecho Procesal del Trabajo, Derecho Social Comunitario y Salud y Seguridad en el Trabajo, así como un *practicum* que resulta habitual en los últimos cursos para refrescar desde perspectivas cercanas a la realidad los conocimientos adquiridos.

Al tiempo, han ganado en importancia materias propias de otras ramas del saber, tales como la gestión de Recursos Humanos (mencionada expresamente en la propia denominación del título, lo que hace que sea éste un campo llamado a crecer en la actividad de la profesión) o la Organización de Empresas, que, si bien ya tenían un peso específico en la antigua diplomatura, han ocupado espacios e importancia, lo que hace que esta titulación ya no sea sólo eminentemente jurídica (con el carácter que seguramente tenía la extinta diplomatura) sino que presente una naturaleza más interdisciplinar, algo que con toda certeza agradecerán los nuevo graduados, pues el campo de oportunidades que les abrirá, sin renunciar a las facultades clásicas, será más amplio.

Junto a los anteriores, aparecen nuevos contenidos, quizá todavía con un carácter ciertamente minoritario y de encuadre difícil en la sistemática de la titulación, pero cuya utilidad no puede ser desconocida en un contexto dinámico y moderno de relaciones laborales.

Así, en mayor o menor medida, los planes de estudios elaborados por las distintas Universidades han incorporado al Grado de Relaciones Laborales y Recursos Humanos materias tales como el inglés laboral (en el entendimiento claro y meridiano de que esta es la nueva lengua común de los negocios y el conocimiento) o la informática pensada para carreras sociales y jurídicas, permitiendo acceder a un bagaje general (que quizá cuando fuere menester debiera ser ampliado mediante alguna especialización) que mantenga al estudiante al día en realidades que hoy son absolutamente necesarias para afrontar con éxito el acceso al mercado de trabajo.

En cualquier caso, ha de quedar claro que quien curse esta titulación recibirá una formación sólida en Derecho del Trabajo y de la Seguridad Social, que le permitirá conocer y aplicar el ordenamiento laboral en la resolución de conflictos y problemas; ahora bien, tampoco está de más reconocer que una mayor especialización en estas materias es posible y, en principio, y según la estructura del sistema universitario, parece que habrá de quedar encomendada a los distintos y variados estudios de posgrado que cada Universidad pueda establecer.

2. En efecto, como segundo nivel universitario es necesario dar cuenta de los denominados posgrados, los cuales, tras una etapa en la que el establecimiento de su concepto fue titubeante, han quedado definidos –por exclusión y de manera negativa– como todos aquellos estudios universitarios oficiales que se impartan con posterioridad al grado.

Tal concepto de por cuanto estudios de posgrado cabe entender permite distinguir en este nivel (y de forma convenientemente encadenada) dos estadios académicos bien diferenciados: de un lado, los estudios de máster oficial; de otro, los estudios de doctorado o tercer ciclo.

En cuanto a los **másteres oficiales**, para el acceso a los mismos es necesario haber superado completamente el primer nivel de grado o contar con unos estudios de valor equivalente. Su duración es de uno o dos años, conteniendo entre 60 y 120 créditos europeos y van dirigidos a proporcionar al alumno una especialización profesionalizante mediante la cual adquiera técnicas y conocimientos específicos dirigidos al ejercicio de una actividad profesional concreta, aun cuando exista una tendencia proclive a establecer el concepto de «formación para toda la vida», en cuyo caso el máster sirve como instrumento de reciclaje permanente.

Desde luego, las oportunidades que se abren en relación con los másteres dedicados a temáticas relacionadas con el trabajo son casi infinitas. Así, por un lado, en cuanto esta clase de estudios fueron instaurados de forma oficial, varias Universidades se han apresurado a incorporar algunos que, debido a su demanda, eran ya ofertados de forma habitual en el ámbito privado. En este sentido, existen másteres oficiales en Asesoría jurídico laboral, en Recursos Humanos o (y es singular porque es la única vía que permitirá el acceso a la profesión reglada de prevencionista superior) en Prevención de Riesgos Laborales.

Junto a ellos, quizá haya llegado el momento de que la Universidad, más que copiar cuanto ya hacía el sector privado, de un paso al frente y trate de confeccionar otros estudios de máster que traten de suplir carencias profesionales importantes existentes en nuestro país.

Baste mencionar, al efecto, temas tan necesarios en el manejo diario del Graduado como son la Seguridad Social Complementaria, las actuaciones ante la Administración de Trabajo, la gestión informatizada de nóminas y seguros sociales, la resolución extrajudicial de conflictos y un largo etcétera que debió ser suplido mediante el callado esfuerzo autodidacta de muchos Graduados Sociales y que, en el nuevo contexto, puede verse refrendado en másteres específicos que completen la formación del estudioso del Derecho del Trabajo, no tanto para ejercer una profesión concreta, sino para mejorar o perfeccionar el desenvolvimiento de determinados detalles de la que ya se está ejerciendo (en nuestro caso, la de Graduado Social) respecto de los cuales es difícil encontrar contenidos formativos en los estudios universitarios ordinarios (el Grado en Relaciones Laborales) o en otros másteres específicos.

Llegados a este punto, debemos trasladar a estas páginas un dilema que, por fuerza, parece necesario plantearse en el actual contexto de formación universitaria, cual es si existe objetivamente la necesidad de articular un máster específico en la formación práctica para el ejercicio de la profesión de Graduado Social o, por el contrario, el Grado en Relaciones Laborales y Recursos Humanos resulta suficiente (con todas aquellas especializaciones posteriores y específicas que cada quien quiera voluntariamente realizar) para garantizar el nivel exigido (al margen de la experiencia que sólo llega con los años) para el desempeño de la misma.

Piénsese que cursar un determinado posgrado (que llevará el nombre tradicional de práctica jurídica) será pronto requisito ineludible para que el futuro graduado en Derecho pueda iniciarse en el ejercicio de algunas profesiones jurídicas como la de abogado (no así, en cambio, para otras como las de procurador).

Aun cuando su seguimiento no resulte obligatorio (en tanto la legislación no lo exija de acuerdo a la conveniencia social, algo que no parece probable, al menos a corto plazo), lo cierto es que sí parece conveniente que tales másteres de práctica para el ejercicio de la profesión de Graduado Social se articulen en nuestras Universidades Públicas, pues así se podría completar específicamente la formación de aquellos alumnos que, en el seguimiento normal del Grado en Relaciones Laborales, hayan descubierto en el ejercicio de la profesión su verdadera vocación, proporcionándoles unas habilidades prácticas que, seguramente en el grado no hayan llegado a alcanzar de forma plena, de modo tal que, al tiempo de acceder al mercado de trabajo (o al ejercicio autónomo de la profesión) cuenten con una mejor formación práctica.

Por esta razón, sería deseable que el Consejo General se implicara en el apoyo de aquellas Universidades que decidan poner en marcha un instrumento académico de este tipo, que hasta ahora no ha existido (al menos no con la especificidad aquí requerida) en nuestro modelo universitario.

En segundo término cabe aludir a los **estudios de doctorado o tercer ciclo**, que quedan configurados como una forma específica de posgrado a la que sólo se puede acceder si se ha superado un máster (o un estudio equivalente) con componente de investigación (pues la norma reguladora distingue entre los meramente profesionalizantes y aquellos que, a su vez, llevan un componente asignado capaz de permitir el inicio de la carrera investigadora).

De esta manera, los estudios de doctorado o tercer ciclo continuarán así constituyendo el máximo grado académico concedido por la Universidad, la cúspide de la formación académica y, al tiempo, el rito de iniciación necesario para adentrarse en las apasionantes tareas de investigación.

Ya se indicó en su momento que una de las principales (y escasas) ventajas que trajo consigo la Licenciatura en Ciencias del Trabajo fue que permitió acceder a los Graduados Sociales al nivel de Licenciado, lo cual permitió a su vez que estos estudiosos del Derecho del Trabajo pudieran acceder a los estudios de Doctorado, aunque fueron escasas las iniciativas de las Universidades dirigidas a articular unos programas específicos de doctorado sobre temas específicamente ius-laborales.

Con todo, no cabe desconocer que las mismas constituyeron un experimento pionero y germinal y, sin duda, fueron bien aprovechadas, no en vano, y entre otros, quien hoy preside el Consejo General cursó sus estudios de doctorado en el programa específico sobre materias jurídico-laborales establecido en la Universidad de León, procediendo a la colación del grado de doctor mediante la defensa pública de su tesis doctoral en noviembre de 2009, un ejemplo de estudio abnegado que, sin duda, merecería encontrar imitación entre más ius-laboralistas para que nuestro cuerpo doctrinal sea cada vez más amplio y mejor.

Lo cierto es que el nuevo sistema universitario permitirá continuar ahondando en las posibilidades que se desprenden de esta vía del doctorado en materias jurídico-laborales, en tanto existen (y existirán) variados másteres relativos a dichas temáticas y es de esperar (y a ello se alienta desde estas páginas) que en variados lugares del país se pueda asignar a tales másteres el componente de investigación requerido por la norma y, en consecuencia, sea posible articular posgrados de doctorado que permitan a quienes los cursen seguir por la senda de la investigación científica en materias jurídico laborales.

De esta manera, continuará (y se consolidará) la línea de ius-laboralistas que acceden al máximo grado académico que la Universidad concede, los cuales estarán en condiciones de continuar colaborando en la tarea de exégesis del Derecho que siglos atrás constituyó el germen de la creación de los estudios universitarios en aquella célebre ciudad italiana que ahora da nombre a la reforma de los estudios universitarios que tratan de garantizar la convergencia a nivel europeo.

3. Resta por aludir a un tercer nivel, híbrido o intermedio, que si bien está llamado a desaparecer debido a su carácter transitorio, presentará importancia en estos primeros años tras la implantación de la reforma: se trata del llamado curso puente, destinado a permitir que quienes ostentaban la condición de diplomados (en tanto es éste un nivel inferior de estudios universitarios que desaparece) puedan acceder a la condición de graduados, nivel básico de estudios universitarios en el nuevo modelo que permite el acceso a todos los demás, tal y como se acaba de ver.

La estructuración de este curso puente se hará en cada Universidad, estableciendo los complementos formativos que el diplomado debe cursar para adquirir el título de Graduado, pero que en ningún caso superarán un curso académico, incorporando, eso sí, la elaboración de un trabajo fin de carrera (requisito imprescindible en los nuevos grados), pudiendo convalidarse los créditos prácticos por el ejercicio profesional acreditado por el diplomado.

Desde luego, esta oportunidad (que por definición está llamada a no subsistir demasiados años en el devenir universitario normal) resulta especialmente idónea, entre otros colectivos (como los propios de las ingenierías técnicas o la enfermería) a los diplomados en Graduado Social o Relaciones Laborales, pues les permitirá, con relativamente poco esfuerzo, adquirir un nivel académico superior y más moderno.

Entre las ventajas que la nueva condición de graduados podría reportar a este colectivo baste pensar en que, de un lado, les permitirá acceder a los másteres oficiales y los programas de doctorado en condiciones de igualdad con el resto de graduados; de igual modo, mejorará su currículo de cara a una promoción profesional en la empresa privada; en fin, y es un dato a tener presente, son ya varias las convocatorias para plazas de funcionario del llamado grupo A (ahora desgajado en dos modalidades A1 y A2) que permiten al Graduado concurrir a las pruebas de acceso junto a los antiguos Licenciados, Arquitectos e Ingenieros, lo cual mejora significativamente las expectativas de quien decida cursar este instrumento formativo transitorio y provisional que viene a tratar de conceder una oportunidad de reengancharse al nuevo modelo a quien partía de una titulación académica teóricamente inferior al antiguo licenciado e, incluso, al nuevo graduado.

Antes de terminar este apartado relativo a los aspectos formativos que resultan de interés para el Graduado Social es necesario efectuar una pequeña reflexión final sobre la resultante de la articulación de este nuevo modelo universitario, que ha sido, en buena medida, controvertido y de cuyo éxito final todavía hay quien duda.

El colectivo de graduados sociales puede sentirse satisfecho, pues su posición en el nuevo tablero es (al margen del éxito global que se quiera asignar al nuevo sistema) ciertamente mejor a la que existía en el anterior modelo. El mérito, es, sin duda, del esfuerzo de muchos ius-laboralistas (entre ellos quienes integran el Consejo General de Colegios Profesionales de España, pero también de un buen puñado de profesores de Derecho del Trabajo que han colaborado en las tareas de diseño de los nuevos Grados) que pelearon denodadamente para conseguir no sólo salvaguardar, sino abiertamente mejorar, el status de unos estudios universitarios que resultan a todas luces trascendentales pero que estaban ilógicamente cuestionados desde ciertos sectores.

Sea como fuere, los iuslaboralistas pueden hoy sentirse satisfechos y orgullosos. De un lado, han visto subir de nivel sus estudios propios (la antigua Diplomatura en Relaciones Laborales se ha convertido en Grado en Relaciones Laborales y Recursos Humanos); de otro, los antiguos diplomados tienen la posibilidad de transitar a través del curso puente, ganando la condición de graduados; en fin, ante sus ojos se abren los vastos horizontes de estudios de posgrado (másteres y doctorados) específicos, dirigidos al análisis de cuestiones relativas a las materias ius-laborales. En fin, que la situación de los estudios vinculados al Derecho del Trabajo ha sido equiparado al máximo nivel académico posible, lo que ha de servir de regocijo para la familia de ius-laboralistas.

Es menester, empero, efectuar una advertencia final: al ser cada Universidad autónoma en la configuración de sus planes de estudio, la aparición de dichos posgrados, lejos de estar ordenada y gozar de alguna sistemática, resultará totalmente impredecible, y quedará al albur de los docentes del área de Derecho del Trabajo y de los equipos rectorales de cada institución de educación superior y de la amplia burocracia (estatal y autonómica) que cualquier iniciativa de esta naturaleza ha de superar.

Esta situación, evidentemente, puede provocar algunos problemas que son fácilmente imaginables por el lector: que haya varias Facultades cercanas que reiteren unos mismos másteres sobre materias laborales (especialmente golosos resultan los de Asesoría de Empresa o Prevención de Riesgos) con el evidente despilfarro social que tal circunstancia puede provocar; que alguna Universidad proyecte unos estudios sobre temas laborales pero que no sean los más oportunos o necesarios; que haya ciertos estudios que a ninguna Universidad se le ocurra diseñar y que sí resultarían apropiados por su verificable demanda y necesidad social...

En fin, es un riesgo que nuestro sistema universitario ha de correr en general y que ahora se reproduce en particular por cuanto se refiere a los estudios propios del Graduado Social, que deriva de la excesiva autonomía que se ha dado a las propias Universidades en la configuración de sus planes de estudio (no deja de resultar curioso que ésta haya sido la resultante de un proceso que nacía con vocación de armonizar todos los estudios a nivel europeo).

Será conveniente analizar, al menos en nuestro contexto, para desterrar el riesgo de unos estudios asimétricamente distribuidos a lo largo y ancho del territorio nacional: qué estudios hay (de grado y, principalmente, posgrado –tanto másteres como doctorado–) y dónde se imparten, en relación con materias jurídico laborales.

Desde luego, sería una información valiosísima que, primero, podría aportar datos que llevarán al Consejo General a detectar necesidades formativas que podrían luego sugerir a las Universidades para su implantación. Además, permitiría a los colegiados (y a los todavía estudiantes) tener un mapa completo de la oferta formativa en temas jurídico laborales, lo cual les facilitaría la tarea de elegir y planificar cuáles son los estudios que más les convienen para su formación y reciclaje profesional (y dónde tendrían que ir a cursarlos, aunque esto hoy gracias a las nuevas tecnologías no suponga un problema tan grande como antaño), propiciando una más adecuada asignación de los recursos y una mejora evidente en la planificación individual (y acaso colectiva) de la formación a recibir.

Quizá pudiera ser ésta una tarea que quedara encomendada al «Observatorio de la Profesión», constituido por el Consejo General en el año 2009 y que mediante esta labor podría refrendar lo acertado de su creación a través de la realización de una misión ardua para la persona individualmente considerada, pero necesaria para el colectivo en su conjunto, sobre todo porque la elaboración de este «mapa de formación» en materia laboral contribuiría a que el graduado social pudiera afrontar con mayores dosis de información la necesidad de la formación continua durante toda la vida.

3. LAS NUEVAS FUNCIONES Y COMPETENCIAS DEL GRADUADO SOCIAL: EN ESPECIAL LA POSIBILIDAD DE FIRMA DEL RECURSO DE SUPLICACIÓN

Tal y como ya ha sido avanzado en otros capítulos del presente trabajo, el colectivo de Graduados Sociales, a lo largo de su ya dilatada historia, ha ido adquiriendo un prestigio social fuera de toda duda como profesionales del Derecho del Trabajo y de la Seguridad Social, lo cual ha sido causa y, a la vez efecto (pues ha ido permitiendo su paulatina ampliación), del vasto elenco de funciones y roles sociales e institucionales que, con un espíritu de trabajo y sacrificio encomiables, los Graduados Sociales han ido asumiendo paulatinamente.

El espectro competencial que puede desarrollar el colegiado como Graduado Social ha ido creciendo de forma lenta pero segura a lo largo del tiempo, hasta alcanzar un volumen de posibilidades de actuación no sólo rico y atractivo para quien lo ejerce, sino también útil desde el punto de vista social, al plasmar la defensa de algunos valores de máxima trascendencia en un sistema democrático de relaciones laborales.

Desde luego, el graduado social, dentro de alguno de los status que el ordenamiento jurídico le permite (ya como ejerciente de la profesión liberal –a través de su afiliación al régimen de trabajadores autónomos–, ya como profesional de empresa –en este caso como trabajador por cuenta ajena–, ya como parte del personal de las Administraciones Públicas), desarrolla un amplio volumen de competencias, en continuo crecimiento, que, en síntesis y para no reiterar en exceso lo ya expuesto en otro momento, puede quedar condensado como sigue:

1. Actividades desarrolladas en la empresa privada: donde el graduado social (como agente externo o incorporado a la plantilla de la organización) realiza una vasta y ardua labor que abarca desde la liquidación de nóminas y seguros sociales, hasta la dirección de recursos humanos, pasando por funciones abiertas tales como la gestión de la prevención de riesgos laborales (cuando se encuentren habilitados para ello), la intermediación en el mercado de trabajo (espacio llamado a ganar espacio tras la reciente reforma laboral, en tanto se verdadera carta de naturaleza a las agencias privadas de colocación), la resolución de conflictos o la auditoría socio-laboral.

2. Actividades desarrolladas en el marco de la función pública: posibilidades que hasta ahora ya venía desarrollándose en el marco del llamado grupo B (en oposiciones tales como la Gestión de la Seguridad Social o Subinspección de Empleo) y que ahora y tras la incorporación del Grado en Relaciones Laborales y Recursos Humanos se verán notablemente aumentadas, tanto para los nuevos graduados como para los antiguos diplomados que opten por el curso puente y accedan al nuevo nivel académico, pudiendo concurrir a aquellas pruebas selectivas del grupo A.

Item más, y siempre y es una opción a considerar, queda abierta la vía de la docencia, tanto en la Educación secundaria (a través, primero, del máster en formación del profesorado, –que ha venido a sustituir al tradicional CAP– y, después, de la superación de la oposición de FOL), como, incluso, de la universitaria, pues al poder acceder al Grado en Relaciones Laborales y Recursos Humanos y, correlativa y posteriormente, a los estudios de doctorado (ya hay doctores provenientes de la Licenciatura en Ciencias del Trabajo y, sin duda, habrá muchos más provenientes del nuevo Grado en Relaciones Laborales y Recursos Humanos), cabe considerar abierta el inicio de la carrera investigadora y docente en la Universidad, pudiendo concurrir a los puestos de Profesor Titular y Catedrático que en Áreas afines sean convocadas en los términos legal y reglamentariamente establecidos.

3. El ejercicio libre de la profesión de Graduado Social: es obvio que desde su propio despacho (bien de forma aislada, bien bajo la forma de Sociedad Profesional, al amparo de la Ley2/2007, de Asociaciones Profesionales), el Graduado Social puede acometer un amplísimo elenco de tareas que van desde la gestión y liquidación de nóminas y seguros sociales, pasando por la auditoría y asesoría laboral de la empresa, la gestión de recursos humanos, hasta la representación técnica de empresarios y trabajadores ante las múltiples instancias laborales.

En este sentido, siendo el elenco de competencias del graduado social un conjunto en continuo crecimiento, conviene recordar con mayor estupor, si cabe, el revés sufrido por el colectivo como consecuencia de la Orden TAS 763/2007, de 23 de marzo, que derogó, para disgusto de todos y en aras de una supuesta modernización de la Administración de Trabajo, el derecho de los graduados sociales habilitados por la Seguridad Social para gestionar el pago de las pensiones a los beneficiarios del sistema.

Dicha orden fue impugnada por el Consejo General, que se vio obligado a intervenir en defensa del colectivo, obteniendo éxito en la reclamación y provocando la revocación de la mentada Orden, si bien tal decisión fue recurrida por la Tesorería General de la Seguridad Social, lo que provocó innegables problemas prácticos que trataron de ser salvados a través de una negociación directa entre una comisión representativa del Consejo General y la Dirección General de la Tesorería.

Tras la celebración de las oportunas negociaciones, en octubre de 2008 se alcanzó un acuerdo por el que la Tesorería, si bien no derogaba la Orden de la discordia, se comprometía a permitir una fórmula de habilitación mediante apoderamiento administrativo (el denominado modelo «Designa y autoriza», que ha de contar con el sello del Colegio profesional al que se encuentre adscrito el graduado habilitado) que permitirá, *de facto*, la continuidad del ejercicio profesional en la materia, solución que aliviaría, en gran medida, la situación profesional de los afectados, permitiendo al colectivo de beneficiarios seguir contando con un servicio profesional de gran utilidad y de plena confianza.

El Tribunal Supremo en sentencia dictada en fecha 7 de junio de 2010, por la sección cuarta de la sala de lo Contencioso-Administrativo, revocó la sentencia dictada por el Tribunal Superior de Justicia de Madrid por la cual se anulaba la orden TAS 763/ 2007, de 23 de marzo.

En un primer momento la Tesorería General aceptó y acató la sentencia así como los acuerdos que se habían llevado a cabo con el Consejo General para permitir a los Graduados Sociales Habilitados la continuación de su trabajo con nuevos pensionistas que designaran a aquellos como intermediarios para el cobro y el pago de la prestación, sin embargo, no fue así.

En el Pleno del Consejo General, celebrado en Santiago de Compostela, el día 22 de octubre de 2010, el propio Director General de la Tesorería reconoció un cambio en ese criterio acogiéndose a la tesis impuesta por la Sentencia del Tribunal Supremo.

En la actualidad los Graduados Sociales Habilitados se mantienen con las gestiones de su cartera de clientes en la misma dimensión que tenían antes de la Sentencia del Tribunal Supremo y a la espera de que el Consejo General de Colegios Oficiales de Graduados Sociales de España, consiga flexionar esta situación absurda e intransigente de la Tesorería General de la Seguridad Social de suprimir a los Graduados Sociales como tales, del abanico de intermediarios del cobro de las prestaciones, dando prioridad a las entidades bancarias y dejando a los Graduados Sociales Habilitados en un segundo plano ante las mismas.

Sea como fuere, las funciones del graduado social son muchas y, además, se encuentran en expansión; de entre ellas, quizá el aspecto técnico más apasionante venga dado por las posibilidades de representación técnica en juicio (facilitadas por la utilización desde el año 2006 del sistema LEXNET, para poder presentar y recibir escritos y comunicaciones judiciales por vía telemática) que, como es bien sabido, han sido notablemente ampliadas a través de la Ley 13/2009, de reforma de la legislación procesal para la implantación de la nueva oficina judicial.

Si bien el título de la Ley refiere a un objetivo concreto (efectuar las reformas necesarias para implantar el nuevo sistema de oficina judicial y conseguir así una necesaria modernización de la Justicia), lo cierto es que el legislador ha aprovechado la coyuntura para realizar una larga serie de importantes mejoras técnicas en la normativa procesal española y, entre aquellas que se consideraban necesarias, se ha tenido a bien conceder al colectivo de Graduados Sociales una prerrogativa por la que llevaban tiempo peleando con denuedo, como es la posibilidad de firmar el recurso de suplicación ante los Tribunales Superiores de Justicia.

Según la exposición de motivos de la mentada norma, dicha concesión se efectúa «en virtud de la capacidad de representación técnica que les reconoce el art. 545.3 LOPJ, con lo que se adapta la norma legal a la realidad social», aunque ciertos colectivos no lo hayan querido ver de esta manera y entiendan que se produce un intrusismo que, si bien se mira, tan sólo significa que un profesional vinculado al mundo del Derecho del Trabajo pueda desarrollar una actividad técnica en este orden para la que se encuentra sobradamente preparado y dar así una continuidad lógica a la labor desarrollada en la instancia.

El camino para alcanzar tal logro ha sido largo y complicado y la pelea llevada a cabo desde el Consejo General de Colegios Oficiales de Graduados Sociales de España verdaderamente titánica. El terreno había quedado abonado, como menciona la propia exposición de motivos de la Ley 13/2009, desde que fuera modificado el tenor del artículo 545.3 de la Ley

Orgánica del Poder Judicial, incorporado a través de la reforma acaecida en el año 2003, un tenor conforme al cual «en los procedimientos laborales y de Seguridad Social la *representación técnica* podrá ser ostentada por un Graduado Social colegiado».

Como en su momento ya fue indicado, la incorporación del calificativo «técnica», añadió un matiz de indudable importancia a la labor de representación que el Graduado Social puede desempeñar pues, sin duda, le permite desarrollar tareas no sólo de estricta representación procesal, sino también de asistencia técnica, incluida la defensa jurídica en el pleito, algo que ya venía sucediendo *de facto* con anterioridad y que la LOPJ quiso recoger de forma expresa.

En la línea con este reconocimiento del valor del trabajo del Graduado Social, se concede ahora una de las reivindicaciones clásicas del colectivo (que permitirá que el Graduado Social continúe de forma natural con la tramitación procesal de aquellos pleitos que ha llevado en instancia), a través de la modificación de un buen elenco de preceptos de la norma de ritos social, que había quedado pospuesta en la anterior legislatura por un malentendido entre los partidos políticos mayoritarios, pero que ahora ha encontrado, por fin, acogida y que, en síntesis, hace que el estado de la cuestión pueda ser glosado como sigue.

El artículo 18.1 de la vigente Ley de Procedimiento Laboral continúa aludiendo a cómo, en el orden social de la jurisdicción, «las partes podrán comparecer por sí mismas o conferir su representación a Procurador, Graduado Social colegiado o a cualquier persona que se encuentre en el pleno ejercicio de sus derechos civiles».

Ahora bien, se ha modificado el art. 21 (por el punto siete del art. 10 de la Ley 13/2009) para indicar que, si bien la defensa sigue teniendo carácter facultativo en la instancia, en el recurso de suplicación los litigantes habrán de estar defendidos por abogado o representados técnicamente por graduado social colegiado, quedando eso sí, el recurso de casación (todo llegará), como una institución a la que aún la profesión no tiene acceso.

En consonancia con la importante modificación efectuada, se efectúan otras matizaciones de los preceptos oportunos a lo largo del articulado de la Ley de Procedimiento Laboral, para prever los aspectos técnicos relacionados con la mentada posibilidad de actuación:

– Se contempla expresamente que «si la resolución fuera recurrible en suplicación y la parte hubiera anunciado el recurso en tiempo y forma y cumplido las demás prevenciones establecidas en esta Ley, el Secretario judicial tendrá por anunciado el recurso y acordará poner los autos a disposición del letrado o graduado social colegiado designado para que en el plazo de una audiencia se haga cargo de aquéllos e interponga el recurso en el de los diez días siguientes al del vencimiento de dicha audiencia. Este plazo correrá cualquiera que sea el momento en que el letrado o el graduado social colegiado recogiera los autos puestos a su disposición» (art. 193.1 LPL en la redacción dada por el punto 107 del art. 10 de la Ley 13/2009).

– Se prevé que su nombramiento a estos efectos se produzca al tiempo de anunciar el recurso de suplicación, por comparecencia o por escrito. En aquellos supuestos en los que no se haga designación expresa de abogado o graduado social, si se trata de una persona con derecho de asistencia jurídica gratuita se nombrará «letrado» de oficio por el Juzgado en el día siguiente a aquel en que concluya el plazo para anunciar el recurso (art. 229 LPL según la redacción dada por el punto 126 del art. 10 de la Ley 13/2009).

Tan estrecha previsión legal (que reenvía únicamente al letrado) parece que cierra la posibilidad a que el órgano judicial pueda de oficio nombrar a un graduado social, lo que, en suma, no hace sino reflejar la necesidad de articular un sistema acabado de turno de oficio para el colectivo de los Graduados Sociales, y es de resaltar en este campo que el Consejo General de Colegios Oficiales de Graduados Sociales de España está ya trabajando en la posibilidad de modificar la norma para dar cabida a los Graduados Sociales en este entramado sistema de Asistencia Jurídica Gratuita.

Además, cuando se haya designado letrado de oficio que considere que el recurso no es procedente, y el nuevo letrado designado vuelva a considerarlo de igual modo, el órgano judicial hará saber a la parte el resultado habido para que dentro de los tres días siguientes pueda valerse, si así lo deseara, de abogado o (en este caso sí) graduado social de su libre designación, que habrá de formalizar dicho recurso dentro del plazo señalado en la Ley (art. 230 LPL en la redacción dada por el punto 128 del art. 10 de la tantas veces mencionada Ley 13/2009).

– En materia de costas, que a diferencia de instancia pueden ser impuestas a la parte vencida en vía de recurso (excepto cuando goce del beneficio de justicia gratuita), se prevé que incluyan los honorarios del graduado social colegiado (igual que del abogado), sin que dichos conceptos puedan superar los 600 euros en el recurso de suplicación (art. 233.1 LPL en la redacción dada por el punto 130 del art. 10 de la Ley 13/2009).

4. CUESTIONES AÚN PENDIENTES PARA LA PROFESIÓN DE GRADUADO SOCIAL

Aun cuando, como se ha analizado en páginas precedentes, la profesión de Graduado Social goza de excelente salud, y en tiempos recientes se han conseguido logros importantes para su expansión (tanto a nivel académico como profesional), aún son varios los frentes abiertos que mantiene el colectivo, a modo de reivindicaciones que terminen de consolidar su status profesional; de entre ellos, merece detener la atención en los siguientes aspectos.

1. De un lado, cabe dar cuenta de una vieja aspiración, nunca adecuadamente resuelta por el legislador, consistente en la posibilidad del Graduado Social de intervenir en aquellos procesos judiciales sobre cuestiones administrativas de Derecho del Trabajo, ejerciendo pertinentemente y como procede las facultades de representación técnica reconocidas por el ordenamiento jurídico.

Como bien es sabido, el art. 3.2 LPL apostó en su momento (tras la promulgación de la Ley 50/1998, reguladora de la Jurisdicción Contencioso-administrativa) por transferir un nutrido elenco de tales competencias al Orden Social (en donde los Graduados Sociales tienen legitimidad plena para intervenir), pero exigía de una posterior intervención normativa que nunca llegó a producirse (con lo cual la previsión legal quedó en mero *desideratum*), lo que petrificó tales competencias en el orden jurisdiccional Contencioso-administrativo.

De esta manera, la impugnación de las resoluciones administrativas relativas a la imposición de sanciones por infracciones del orden social, así como las propias de un expediente de regulación de empleo o traslado colectivo, continúa siendo competencia del orden jurisdiccional Contencioso-administrativo.

En lógica consecuencia, la tramitación judicial de cuestiones tan típicamente laborales (sin negar su evidente componente de Derecho Administrativo) quedaba extramuros del campo de actuación del graduado social. Frente a ello, sólo cabe apostar (una vez más) porque el legislador reaccione atendiendo la pretensión del colectivo de Graduados Sociales y les permita actuar en tales litigios.

Las posibilidades son varias, bien a través de su efectiva incorporación al orden social de la jurisdicción (lo que seguramente desde un criterio sistemático sería lo más deseable), bien a través de una habilitación especial que (a modo y manera de cuanto sucede ante los Tribunales de lo Mercantil cuando una empresa ha sido declarada en concurso, *ex* art. 184.6 de la Ley Concursal), permita a este profesional actuar ejerciendo sus funciones de representación técnica en aquellos procesos ventilados ante los Tribunales de lo contencioso en que se esté conociendo de asuntos de naturaleza laboral.

El argumento que justifica tal reivindicación, conviene recordarlo, no es gratuito, sino fundada en la lógica práctica del ejercicio cotidiano de la profesión. Desde luego, los Graduados Sociales son los profesionales con una mayor formación y una mejor especialización en materias jurídico-laborales y, además, y debido a su actividad, cuentan también con una sobrada cualificación en materias administrativas, lo que hace que no resulte de recibo que les sea impedido intervenir en la sustanciación judicial de unas materias en las que, de hecho, sí intervienen cuando el asunto se está gestando en vía administrativa o extrajudicial.

2. Una segunda reivindicación que es especialmente sentida en este momento por el Colectivo de Graduados Sociales viene dada por la necesidad de su incorporación legal al elenco de aquellas prestaciones de servicios que merecen quedar integradas dentro del beneficio de justicia gratuita.

Desde luego no tiene mucho sentido que el ejercicio de una profesión jurídica (como la de graduado social plenamente lo es) no aparezca contemplada debidamente en la Ley de Asistencia Jurídica Gratuita, sobre todo teniendo en cuenta que su intervención en el proceso social está plenamente reconocida y que su actuación, en determinados casos, llega a ser preceptiva, lo que hace que los costes originados de su intervención deban quedar absorbidos en el montante de gastos de los que debe estar exento quien goza de este beneficio, singularmente y por cuanto al orden social hace, el trabajador o beneficiario de la Seguridad Social.

En consecuencia, parece sumamente conveniente (y necesario) que se regule el nombramiento a través del turno de oficio (para el ejercicio de las competencias que los graduados sociales tienen asignadas dentro del orden social) en las mismas condiciones que el abogado o procurador.

Ya ha habido pasos importantes que van marcando el camino de lo que inevitablemente habrá de llegar, aunque todavía no haya sido atendida de forma plena la demanda. Así, el Colegio Provincial de Madrid logró situar a los Graduados sociales en el Servicio de Orientación Jurídica en materia laboral y de Seguridad Social en la Comunidad Autónoma en el año 2007. Logro importantísimo que supone una primera piedra en el camino para lograr quedar integrados dentro del modelo de asistencia jurídica gratuita.

3. Un tercer aspecto que conviene resaltar antes de dar por finalizado este punto consiste en las expectativas del colectivo ante la regulación del acceso al ejercicio de las profesiones de abogado, procurador y graduado social.

En efecto, nadie puede dudar, y como tal merecen ser considerados por el Ministerio de Justicia y demás entidades competentes, que los graduados sociales son verdaderos operadores jurídicos, especialista en Derecho del Trabajo y de la Seguridad Social.

En consecuencia, la regulación de un estatuto que regule el acceso y ejercicio a esta profesión, ha de plantearse en términos de igualdad y reciprocidad con el resto de profesiones jurídicas (abogado y procurador), lo cual, además, permitiría mejorar la cohesión del propio colectivo frente a intrusismos injustificados y frente al ejercicio insolidario y acolegial de la propia profesión de graduado social.

Dicha situación cobra hoy tintes especialmente vistosos ante la incertidumbre derivada de la promulgación de la conocida como Ley Ómnibus, que quizá termine por cambiar ciertos aspectos relativos a la colegiación obligatoria y el acceso a determinadas profesiones, como se verá con un poco más de detalle en el siguiente (y último) epígrafe del presente discurso.

5. LA ACTIVIDAD DEL CONSEJO GENERAL Y DE LOS COLEGIOS PROFESIONALES DE GRADUADOS SOCIALES

La profesión de graduado social es una profesión colegiada. Conviene recordarlo y reafirmarlo con orgullo en un momento en que los colegios profesionales han entrado en una fase de crisis (entiéndase, como período de cambio, quizá profundo). A la indeterminación conceptual del art. 36 de la Constitución (que remite a la Ley para la determinación de su régimen jurídico sin conferir un núcleo duro de prerrogativas inalienables –como sí hace, por ejemplo, respecto a otras entidades de representación institucional como los sindicatos–) se unen una serie de datos que en la actualidad han orbitado sobre el estatuto de los colegios profesionales.

Así, la Ley sobre libre acceso a las actividades de servicio y su ejercicio (conocida como Ley Ómnibus) ha llegado a poner en tela de juicio el requisito de la colegiación obligatoria (habrá que prestar la debida atención para comprobar si la habilitación reglamentaria concedida al gobierno desemboca en la consagración de la colegiación voluntaria); el debate sobre la eliminación de los honorarios orientativos no deja de ser un ataque al buen hacer de los colegios profesionales; la destipificación penal de la figura del no colegiado un desprecio del papel de estas entidades; todos los mencionados son hechos que contribuyen a crear un panorama difuso, en el que podría parecer que el papel del Colegio Profesional queda en la senda de la indeterminación.

Sin embargo, la realidad es más tozuda que los seres humanos, y se empeña en mostrar un panorama en el que la actividad de los Colegios Profesionales (en el caso ahora objeto de estudio, de Graduados Sociales) se muestra imprescindible, no sólo para la representación del colectivo, sino para la satisfacción de necesidades que los colegiados reclaman y encuentran en este sendero la mejor vía de realización y para la articulación homogeneizada de ciertos aspectos de la prestación de servicios en el ejercicio profesional (¡¿cómo podrían entenderse conceptos como la deontología que el ciudadano espera de ciertos profesionales desde una perspectiva ajena a los colegios?!).

Frente al éxito real, poco o nada pueden hacer las declaraciones de intenciones de quien querría sustituir una figura de solera y prestigio en el panorama profesional español por otras asociaciones menos combativas y quizá más fácilmente maleables por el color político de turno.

Desde luego, en una profesión colegiada, como la de Graduado Social lo es (y lo debería de seguir siendo), no puede extrañar que los distintos Colegios de Graduados Sociales y el Consejo General de Colegios Oficiales de Graduados de España lleven a cabo una intensa labor de promoción y defensa de los intereses de sus colegiados. A esta labor (a modo de glosa y reconocimiento) desarrollada durante el último lustro procede dedica este epígrafe final del presente trabajo.

Sucede, sin embargo, que no es una tarea fácil, puesto que la labor ha sido tan intensa y certera que es ciertamente complicado efectuar una tarea que resuma la actividad de estos últimos años. Discúlpese por anticipado si algún dato relevante queda en el tintero, pero, apréciese, al tiempo, la multitud de eventos y circunstancias a continuación destacados.

Quizá convenga comenzar destacando que en 2006 (y tras haber celebrado como se merecía el cincuentenario de la creación de los primeros Colegios de Graduados Sociales) la profesión se vio sacudida con la promulgación del RD 1415/2006, de 1 de diciembre, por el que se aprobaron (tras diez años de paralización absurda) los Estatutos Generales de los Colegios Oficiales de Graduados Sociales, permitiendo la actualización y adecuación de la regulación estatutaria de los Colegios al marco constitucional y a la estructura descentralizada de nuestro Estado.

De esta forma, el complejo sistema de funcionamiento de los 42 Colegios profesionales se ha podido ver perfeccionado de forma adecuada con los nuevos estatutos, lo cual ha encontrado múltiples manifestaciones, tanto en el sistema de elecciones, como en el régimen disciplinario, como, en fin, en los sistemas de financiación, algo que ha sido recogido con extraordinaria satisfacción por todo el colectivo.

Además de la regularización estatutaria (que esperemos que no se vea torpe e inútilmente perjudicada por el desarrollo reglamentario de la Ley Ómnibus), muchas otras son las tareas acometidas por los Colegios Profesionales y por el Consejo General en los años ahora analizados. De entrada, cabe aludir a una intensa actividad de cooperación y mutuo intercambio con las Administraciones Públicas, la Universidad, y el mundo de la empresa, que ha permitido una labor de diálogo y estudio para mejorar aspectos técnicos notables.

Destacada es, en este sentido y entre otras muchas actividades que quedan en el tintero, la labor desarrollada, por ejemplo, en materia de nuevas tecnologías, donde la consolidación del sistema RED-Directo y la labor del Consejo General, en particular mediante el acuerdo alcanzado con la Tesorería General de la Seguridad Social, ha contribuido de manera importante a generalizar la utilización de las TIC en las pequeñas empresas de nuestro país, en lo relativo a las obligaciones a cumplir con la Seguridad Social en los ámbitos de la afiliación y la cotización, brindando la posibilidad de que las empresas de menos de 15 trabajadores se incorporen a dicho sistema a través de los despachos de Graduados Sociales.

Sin embargo, la tarea no puede entenderse conclusa, y la Tesorería General de la Seguridad Social ya está poniendo en marcha el conocido como proyecto Creta, que tratará de simplificar los trámites (no habrá que comunicar los datos todos los meses, sino sólo sus variaciones y se mejorarán los sistemas de control de la recaudación a nivel de cada trabajador), lo que supondrá, en la práctica, una renovación necesaria del pionero sistema RED-Directo, tarea en la que, como no podía ser de otra manera, los graduados sociales están llamados a jugar un papel destacado.

Igualmente destacado es el acuerdo alcanzado entre el Consejo General y el Ministerio de Industria, en noviembre de 2008, que tiene como objeto permitir a los graduados sociales intervenir a través de sus despechos profesionales en la realización telemática, a través de Internet, en la constitución de empresas y sociedades, reduciendo de esta manera de forma notable los trámites burocráticos «físicos». Este convenio redundará en una mayor línea de actividad para los propios graduados sociales, al tiempo que satisfará una demanda social muy sentida por los emprendedores en el momento de la creación de empresas.

En fin, y por no seguir, el Consejo General ha llegado a un acuerdo con el Fondo de Garantía Salarial, en noviembre de 2008, en virtud del cual se incentivaba y fomentaba la tramitación telemática en materia de gestión de las prestaciones a cargo del propio Fondo de Garantía Salarial, a través del registro electrónico creado al efecto en dicho organismo. Tal medida, sin duda, contribuirá a facilitar los trámites de gestión de dichas prestaciones, a través de la utilización de las tecnologías de la información y la comunicación.

Por otra parte, el Consejo General ha mantenido su intensa labor de representación institucional del colectivo de graduados sociales, compareciendo debidamente en todos aquellos foros y actos en que es de recibo la presencia del colectivo; sirva de ejemplo (entre otras muchas actividades que sería imposible de reproducir en este limitado espacio) la presencia habitual del Presidente en las aperturas del año judicial que se han producido en el período de referencia.

En el lustro ahora analizado cabe destacar también la continuidad de algunas actividades promovidas o auspiciadas por el Consejo General que ya cuentan con indudable tradición, así como la celebración de otras actividades nuevas o extraordinarias que también merecen ser resaltadas.

Así, cabe destacar entre las primeras, de un lado, la continuidad en la celebración periódica de los encuentros entre el Consejo General del Poder Judicial y el Consejo General de Colegios Oficiales de Graduados Sociales de España. Así la V edición se llevó a cabo en Las Palmas de Gran Canaria en el año 2006, abordando el estudio de la Igualdad, el empleo y la protección social. La VI edición fue desarrolla en Madrid en el año 2007, sobre la reforma de la Seguridad Social y la Ley de Igualdad. También en esta época se han continuado celebrando los Congresos Nacionales de Graduados Sociales, desarrollándose la XII edición en Valencia en octubre de 2006.

Igualmente, se ha continuado impulsando la Escuela de Práctica Profesional que lleva el nombre del maestro de tantos ius-laboralistas, Alonso

Olea, que trata de captar (a través de una generosa política de becas concedidas en atención a la brillantez del expediente académico del alumno) el mejor de los talentos de entre las decenas de miles de personas que cursan en la actualidad la Titulación de Diplomado (pronto Graduado) en Relaciones Laborales (y Recursos Humanos).

Del mismo modo, el Consejo General ha continuado con sus publicaciones periódicas: de un lado, la revista «Graduados Sociales», con carácter trimestral y gratuito, recogiendo en cada número artículos e informaciones sobre las cuestiones que preocupan al colectivo y a la Sociedad en general, en sus diversos apartados de doctrina, jurisprudencia y actualidad fiscal y social.

De otro, la Revista Técnico Laboral, trimestral y de suscripción anual, en la que se recogen exhaustivos análisis de las disposiciones normativas y resoluciones judiciales que afectan a la profesión, realizadas por destacados especialistas en las materias tratadas, aportando un instrumento de indudable interés en el desempeño de los cometidos jurídicos de los graduados sociales.

En fin, la Memoria anual, en la que el Consejo General da cuenta de las principales actividades institucionales llevadas a efecto, para conocimiento general por parte de los colegiados, garantizándoles así su derecho a recibir una información completa y veraz que garantice la transparencia de esta Corporación en el desarrollo de su labor para la promoción y defensa de los intereses de la profesión.

Junto a estas actividades que ya venían desarrollándose con anterioridad, el Consejo General ha querido organizar o participar, de forma novedosa pero importante, en algunos foros de nivel internacional: así, en primer término procede destacar la organización del I Congreso Iberoamericano de Derecho del Trabajo y de la Seguridad Social, celebrado en León en septiembre de 2008, que versó sobre la protección de la salud y seguridad en el trabajo, y especialmente, sobre la responsabilidad por accidente de trabajo en los distintos modelos jurídicos presentes en el certamen.

El éxito de la convocatoria y su innegable repercusión –jurídica y mediática–, así como sus excelentes resultados científicos, proyectados en el magnífico libro de actas publicado por la Editorial Aranzadi, auguran la viabilidad de sucesivas ediciones de este nuevo Congreso Iberoamericano, que permitirán continuar estrechando lazos con nuestros países hermanos de Iberoamérica.

Por otra parte, no pueden tampoco olvidarse los eventos a los que el Consejo General acudió como invitado: baste recordar la presencia significativa en el V Encuentro Internacional de Derecho del Trabajo celebrado en Asunción (Paraguay) en mayo de 2007; en el VI Congreso de los Consulenti del Lavoro, celebrado en Roma (Italia) en noviembre de ese mismo año 2007; o, en fin, en el II Congreso Actualidad Laboral, celebrado en Madrid en noviembre de 2008.

Junto a los anteriores, el Consejo General ha procedido en el período de referencia a la creación del Premio «Francisco Rojo», en memoria de quien fuera su presidente durante ocho años y falleciera siendo presidente de honor del mismo. Con esta iniciativa se pretende potenciar entre los graduados sociales las labores de estudio, trabajo y dedicación a temas relacionados con la profesión y el Derecho del Trabajo y de la Seguridad Social.

Asimismo, y como ya se mencionó páginas atrás, el Consejo General ha constituido en el año 2009 el «Observatorio de la profesión», que servirá como instrumento válido para proporcionar un análisis sobre la actividad que desarrollan los graduados sociales y su repercusión en el complejo mundo de las relaciones laborales. Otro de los objetivos de este proyecto es evolucionar hacia modelos de participación más directos y flexibles, abriéndose a la participación de todos los colegiados, con una clara vocación de instrumento de mejora de la actual posición institucional del graduado social.

Un acto de singular importancia fue la creación, en noviembre del año 2008, de la Fundación Justicia Social, constituida por el Consejo General de Graduados Sociales, por los Consejos Autonómicos y por los Colegios de Graduados Sociales cuyo ámbito territorial coincide exactamente con una Comunidad Autónoma.

Con la creación de esta Fundación el Consejo General pretende actuar teniendo en cuenta su Responsabilidad Social Corporativa en la Comunidad, poniendo todo su empeño para que sus miembros puedan desarrollarse en plenitud, realizando actuaciones de carácter social y solidario que permitan sembrar la semilla de un porvenir mejor.

El objeto principal de esta Fundación viene dado por la promoción, el desarrollo, la protección y el fomento de toda clase de estudios e investigaciones y demás actuaciones de contenido académico en materias propias del campo del Derecho del Trabajo y Seguridad Social.

En particular, entre los cometidos de la Fundación se encuentran perfilar la estrategia de formación del Colectivo de Graduados Sociales (para lo cual le queda adscrita, entre otros medios, la Escuela de Práctica Profesional «Manuel Alonso Olea»), promover la defensa de los derechos fundamentales de las personas más necesitadas relacionadas con el mundo del Derecho del Trabajo y de la Seguridad Social y cualquiera otro que redunde en interés general en el marco propio del ámbito del Derecho Social.

Para la realización de tales cometidos, la Fundación proyecta un buen elenco de actividades (a seleccionar libremente en función de los objetivos que en cada momento se consideren apropiados), entre las que cabe destacar la promoción del estudio, investigación, conocimiento y difusión de las disciplinas propias; la concesión de ayudas y becas; la organización de cursos, seminarios, conferencias o mesas redondas, a fin de promover la formación en los campos de actuación de la Fundación; la edición de libros, revistas y otras publicaciones de documentos y trabajos de investigación para la difusión de datos e ideas que sirvan al fin fundacional; la participación en programas de mecenazgo de interés general; la participación en la fundación y promoción de entidades similares; el reconocimiento público de personas distinguidas en los ámbitos relacionados con los objetivos fundacionales; el impulso de actividades de cooperación internacional y cooperación al desarrollo; la promoción del voluntariado; la participación en la restauración de centros que coadyuven a los fines fundacionales; la colaboración con entidades y Administraciones en todas las actuaciones que desarrollen dentro de los fines fundacionales; en fin, la creación de fondos artísticos, documentales y bibliográficos relacionados con los fines fundacionales.

Muchas otras son, sin duda, las actividades desarrolladas por el Consejo General de Colegios Oficiales de Graduados Sociales de España [y muchas más aún las desarrolladas por los diferentes Colegios Profesionales] que merecerían quedar recogidas en la presente glosa y que los límites del tiempo y del espacio impiden destacar como se merece.

Desde luego, tales actividades en beneficio del colectivo, la profesión y la sociedad en su conjunto, no han pasado desapercibidas, y han merecido distintos reconocimientos, tanto a nivel particular de algún colegio (baste recordar la Medalla de la Comunidad de Madrid, concedida al Excelentísimo Colegio Oficial de Graduados Sociales de Madrid en el año 2007 o el Premio a la Excelencia Profesional y Empresarial concedido por la Asociación Asturiana de Asesores Laborales y Expertos en Derecho del Trabajo «Profesor Alonso Olea» en el año 2008), como del Consejo General (galardonado con el Premio a la Calidad y Excelencia Profesional y Empresarial concedido por la Asociación Asturiana de Asesores Laborales y Expertos en Derecho del Trabajo en el año 2007 y, personalizado en la figura de su presidente, el X Premio de AEquitas en su edición de 2009).

Ahora bien, al cierre de esta edición, hemos podido constatar hechos y circunstancias que razonablemente hacen medir el futuro con ilusión, pero al mismo tiempo con precaución, no en vano, la crisis económica por la que atraviesa nuestro país, es probablemente la crisis más importante de su historia salvo las que las guerras engendraron en su día.

En los últimos tres años, la economía española ha perdido casi dos millones de puestos de trabajo. Este nivel de desempleo está suponiendo un enorme coste para los trabajadores, para los empresarios y en general para todo ciudadano español. Por ello los Graduados Sociales cuya profesión se circunscribe al asesoramiento en la materia más delicada en esta crisis, el Derecho del Trabajo y la Seguridad Social, también sufren los avatares de la incertidumbre económica y profesional.

A pesar de ello, el colectivo ha enfocado con valentía esta situación y ha demostrado una vez más un derroche de solidaridad, aceptando con auténtica bondad y generosidad la continuación del asesoramiento a sus clientes a pesar de los muchos problemas que la crisis acarrea.

Y así, de nuevo, con ese espíritu de superación que siempre ha caracterizado a las personas que ejercen esta profesión, el colectivo unido por la ilusión de contribuir a mejorar la sociedad española a través de los 43 Colegios Profesionales (el último en constituirse ha sido el de Soria, habiéndose desgajado del Colegio de G.S. de Zaragoza) ha renovado recientemente el apoyo a Javier San Martin Rodríguez, como Presidente del Consejo General, en las elecciones celebradas el pasado día 17 de diciembre de 2010, las cuales se desarrollaron con absoluta normalidad y especial trascendencia para la profesión.

Con estas elecciones a los cargos de Presidente del Consejo General, Vicepresidente 2.º del Consejo (habiendo renovado igualmente Francisco Rueda Velasco, del Colegio de Barcelona) y dos Vocales de la Comisión Permanente (dando entrada por primera vez a José Ramón Barrera del Colegio de Sevilla y de nuevo a Francisco Rodríguez Santana de Las Palmas), se ha configurado una Comisión Permanente renovada igualmente de la fuerza y el tesón necesario para promocionar la profesión en esta época de especial trascendencia para las profesiones colegiadas, quedando formada por las siguientes personas:

Presidente: D. Francisco Javier San Martín Rodríguez

Vicepresidente Primero: D. José Ruiz Sánchez

Vicepresidente Segundo: D. Francisco Rueda Velasco

Secretario General: D. José Ramón Vela Fernández

Tesorero: D. Pedro Bonilla Rodríguez

Vicesecretario: D. Gregorio Zurdo Sanchidrián

Vicetesorero: D. José Ramón Barrera Hurtado

Vocal: D. José Antonio Landaluce Pérez de Turiso

Vocal: D.ª Marina Pacheco Valduesa

Vocal: D. Esteban Moro Manso

Vocal: D. Francisco A. Rodríguez Santana

Este equipo de trabajo pretende, ejecutar las decisiones adoptadas por el Pleno del Consejo General, que lo forman las siguientes personas, presidiendo los Colegios:

A Coruña y Ourense: D. Germán Prieto-Puga Somoza

Álava: D.ª Raquel del Pozo López de Vergara

Albacete: D. José Luis Sánchez López

Alicante: D. Francisco Javier Méndez Jara

Almería: D. Miguel Ángel Tortosa López

Asturias: D. Francisco Antonio Martos Presa

Ávila: D. Jesús Díaz Blázquez

Badajoz: D. José Manuel Giraldo García

Barcelona: D. Vicente Cardellach Marzá

Burgos: D. Antonio Marañón Sedano

Cáceres: D. Francisco Javier Ceballos Fraile

Cádiz y Ceuta: D. José Blas Fernández Sánchez

Cantabria: D.ª Marina Pacheco Valduesa

Castellón: D.ª María Isabel Agut Barreda

Ciudad Real: D.ª Patricia Plaza Martín

Córdoba: D. Daniel Ojeda Vargas

Gran Canaria y Fuerteventura: D. José Ramón Dámaso Artiles

Granada: D. J. Esteban Sánchez Montoya

Guipúzcoa: D. Francisco Javier Barberena Eceiza

Huelva: D.ª Dolores Bejarano Díaz

Les Illes Balears: D. Francisco Navarro Lidón

Jaén: D. Francisco A. Rodríguez Nóvez

Lanzarote: D.ª Caridad Romero del Mas

León: D. Fernando Rodríguez Sánchez

Lugo: D. Manuel Núñez Carreira

Madrid: D.ª M.ª Antonia Cruz Izquierdo

Málaga y Melilla: D. Juan Fernández Henares

Murcia: D. José Ruiz Sánchez

Navarra: D. Pedro M.ª Úcar Ayerra

Palencia: D.ª Ester Urraca Fernández

Pontevedra: D.ª M.ª Teresa Rodríguez García

La Rioja: D. Javier Nieto García

Salamanca: D. Joaquín Merchán Bermejo

Santa Cruz de Tenerife: D. Pedro J. Hernández Reverón

Segovia: D. José Luis Benito Bermejo

Sevilla: D. Rafael Hidalgo Romero

Soria: D. Joaquín García Bravo

Tarragona: D. Francesc Blasco Martorell

Valencia: D. Ricardo Gabaldón Gabaldón

Valladolid: D. Carlos Varona Movellán

Vizcaya: D. Alipio García Ross

Zamora: D. Luis Martín de Uña

Zaragoza: D. Arturo Sancho Bernal

Y así, unidos y esperanzados pero al mismo tiempo preocupados por la situación, pretenden desarrollar en el mes de Marzo una Conferencia entre la Universidad Española y el Consejo General de Colegios Oficiales de Graduados Sociales de España donde estudiarán y analizarán las cuestiones que puedan mejorar las salidas profesionales de los Grados en Relaciones Laborales y Recursos Humanos, así como las características educativas de la profesión. Para ello se darán cita en Madrid todos los representantes de las Facultades en España así como un nutrido grupo de presidentes de Colegios por parte del Consejo General.

En abril, en Lanzarote, se llevará a cabo la cumbre hispano-italiana de Derecho del Trabajo y Seguridad Social entre los Graduados Sociales y los Consulenti di lavoro, al objeto de poner en común los hitos marcados por la crisis así como los remedios adoptados por los gobiernos y el resultado de los mismos en las sociedades hispano italianas y su repercusión analizado por los profesionales.

En Septiembre del año 2.010, durante los días 15, 16 y 17 se llevará a cabo en Granada, la Asamblea Nacional de Graduados Sociales que reglamentariamente establecen los Estatutos, poniéndose de manifiesto y debatiéndose especialmente los logros de la Profesión en la sociedad en los últimos 4 años, desde que se hiciera dicho congreso en Valencia en Octubre del año 2006 y el impacto que en la sociedad ha tenido la crisis económica.

En definitiva, los Graduados Sociales de España, están haciendo historia, su historia, nuestra historia, labrada fundamentalmente por la ilusión con el progreso de los trabajadores y de las empresa para que, en suma, el bienestar que en su día alcanzó España y los españoles, se renueve, se materialice en la creación de empleo, en la creación de empresas y especialmente en la mejora de la calidad de vida de los españoles.

VI

SEXTA ETAPA (2011-2015). AFIANCIAMIENTO DE LA PROFESIÓN ENTRE LAS PROFESIONES JURÍDICAS: EL NUEVO GRADO UNIVERSITARIO Y LAS NUEVAS TECNOLOGÍAS COMO IMPULSORES

1. UN DIFÍCIL CAMINO HACIA EL FUTURO

En Abril del año 2011, se editaba por segunda vez una actualización de la «Historia de los Graduados Sociales», una apasionante redacción que recogió fielmente el origen de la profesión y su evolución a lo largo de los últimos 58 años.

Como ya ocurriese con la segunda edición, esta que ahora tiene en sus manos –la tercera–, se publica un lustro después, puesto que lo acontecido a lo largo de este periodo ha sido muy rico en acontecimientos y en avances para los Graduados Sociales que es preciso contar. El final de la segunda edición se quedaba a las puertas de un procedimiento de actualización de la profesión apasionante, y que tal y comose preveía así ha sido, gracias al esfuerzo y tesón de todos los que la conforman y a quienes colaboran con ella.

Para situarnos bajo el título de «*La actividad del Consejo General y de los Colegios Profesionales de Graduados Sociales*», se describen con exactitud las amenazas legislativas, los proyectos en curso y sobre todo la hoja de ruta trazada para los siguientes años. Ya se avanzó que en el año 2010, en contra de lo que algunos pensaban, la crisis que atenazaba a nuestro país era hasta el momento, la más importante de la historia de España, salvo las que engendraron en sus días los enfrentamientos bélicos.

En numerosas declaraciones, los miembros del Gobierno y representantes del PSOE, durante más de tres años negaron la crisis que estaba sufriendo España, pasando en sus argumentos de que éramos «la Champions League de las economías» y «los brotes verdes» a que «estamos mejor de lo que parece».

Numerosos expertos dieron con el porqué de la crisis: las causantes fueron las hipotecas «*subprime*», cuyo «crack» estalló en Estados Unidos en agosto de 2007 y se convirtió en el detonante de la mayor depresión económica del último siglo. El presidente del Gobierno, José Luis Rodríguez

Zapatero, aseguraba en enero de 2008 que era una «falacia y puro catastrofismo» que España estuviera en crisis. Además, una de las cuestiones que se advertían era la rigidez del mercado laboral, pero no fue hasta que la tasa de paro se hizo descomunal, y la comunidad internacional le forzara a reformar el mercado laboral que se empezaron a tomar medidas, las cuales resultaron insuficientes, tal y como ha quedado demostrado.

Y no hubo confusión alguna. En la actualidad, con cinco años a vista de pájaro, se puede afirmar con rotundidad que la crisis económica que azota aún al mundo en general y a España en particular es la más larga, la más impactante en la población y la más dañina para la prosperidad.

La crisis económica se cebó con los despachos de los Graduados Sociales, porque afectó –y afecta aún– a las empresas más pequeñas, a las más debilitadas y a las menos poderosas, que por otra parte, son las que conforman principalmente la clientela del colectivo, y el entramado empresarial de nuestro país.

A pesar de todo, el colectivo ha mantenido su rumbo a la velocidad marcada por el Consejo General y ha encontrado siempre su espacio y reconocimiento, mediante el trabajo diario de todos los responsables que han formado parte de esta Corporación de Derecho Público.

Es conocido por todos –y los que no, es bueno que tengan conocimiento de ello–, que la profesión de Graduado Social desde sus inicios ha tenido que hacerse valer para ser reconocida como una de las profesiones de ámbito jurídico de España. Este arduo trabajo comenzó ya cuando se constituyó por primera vez la Junta Central de Colegios de Graduados Sociales al amparo de la Orden de 1 de mayo de 1951, tal y como se recogía en el Decreto de 22 de diciembre de 1950, que se encargó de regular la gestión de los Graduados Sociales y que ya por aquel entonces el Colegio de Gestores Administrativos impugnó por considerar que se vulneraban sus competencias. No obstante, la sentencia del Tribunal Supremo de 14 de diciembre de 1955 finalizó este conflicto y haciendo uso de la facultad de desarrollo reglamentario que disponía el artículo 4 de la norma de 1950, la Orden de 21 de mayo de 1956 aprobó el Reglamento de los Colegios Oficiales de Graduados Sociales.

Hay que recordar con gran orgullo que los estudios de Graduado Social obtuvieron una gran aceptación entre los ciudadanos, ya que en aquella época existía una gran necesidad de conocimiento sobre el Derecho del Trabajo y su aplicación a la sociedad. Había un enorme afán de conocimiento, sumado a los grandes cambios políticos que vivía España, en una época en que se configuraba todo el entramado legislativo que regularía el mundo laboral y de seguros sociales a partir de entonces.

Las Magistraturas de Trabajo se crearon por Decreto de 13 de mayo de 1938 y por la Ley Orgánica de 17 de octubre de 1940, y al seguir vigente el Código de Trabajo, en su artículo 453 se estimaba que la representación de la parte en litigio podía ser llevada por cualquier persona que estuviera en el goce de sus derechos civiles. Por ello, el Ministerio de Trabajo se vio apremiado a elaborar el Decreto de 13 de abril de 1945, en la que se reconocía el derecho de los Graduados Sociales a ejercer la representación ante las Magistraturas de Trabajo en procedimientos judiciales iniciados de oficio como consecuencia de certificaciones con valor de demanda. Esta facultad se reintegraría en la primera Ley de Procedimiento Laboral de 1958, así como en el texto refundido de la citada Ley, aprobada por Decreto de 17 de enero de 1963.

Otra vez, y sin ser reiterativos, la realidad es la que es, con motivo de las numerosas normas aprobadas desde que se publicó en 1956 el reglamento de los Colegios de Graduados Sociales, se dictó un nuevo reglamento mediante la Orden de 28 de agosto de 1970, donde en su artículo primero se enunciaban las diferentes competencias de los profesionales, entre las que ya estaban recogidas como la facultad para poder cobrar en nombre de los interesados pensiones o subsidios del sistema de protección social; la formalización de impresos de liquidación por cuotas al modelo público, la tramitación de los expedientes referidos a premios de nupcialidad o natalidad, de pensión de jubilación, viudedad, orfandad o defunción –todas ellas recurridas por los Gestores Administrativos y desestimadas una a una por el Tribunal Supremo–.

Por parte de la Procuraduría se recurrió ante los tribunales la habilitación de los Graduados Sociales de «comparecer en nombre de las empresas, de los trabajadores y de los particulares, ante los Organismos sindicales de conciliación, así como representarles en los casos que expresamente lo autoricen las Leyes, ante las Magistraturas de Trabajo», ajustándose a Derecho según sentencia de la Sala Cuarta de lo Contencioso Administrativo del Tribunal Supremo y reiterada en la sentencia de 1982 en el recurso que presentó, la Abogacía.

El prestigio de los Graduados Sociales como Asesores iba en aumento, como demuestra el elevado número de alumnos que se iban incorporando a las Escuelas Sociales de todo el país. También, es destacable la necesidad que tenía el Ejecutivo de incorporar a los Graduados Sociales en las diferentes leyes que se iban aprobando para el correcto ejercicio de la función empresarial. La Orden del Ministerio de Trabajo de 13 de marzo de 1961 desarrolló la facultad para desempeñar en las empresas o centros de trabajo cometidos y cargos de índole técnico social. En ella, se definía al Graduado Social como «el técnico que en posesión del título oficial correspondiente, realiza en una empresa o en varias, funciones de organización, control y asesoramiento en orden a la admisión, clasificación, acoplamiento, instrucción y retribución del personal; horarios de trabajo y regímenes en el mismo, descanso, seguridad, economatos y comedores, indumentaria, previsión social, esparcimiento del personal y, en general, sobre aplicación de la legislación social, sirviendo así bien a la eficacia de las obras y actividades encaminadas a fortalecer las relaciones de convivencia de cuantos participan en la empresa y de aquellas otras destinadas a mejorar las condiciones de vida del trabajador y su familia».

Por este motivo se dictó la Orden de 20 de marzo de 1967, vigente a día de hoy, por la que se autoriza a los Graduados Sociales a consignar en la documentación correspondiente el número y fecha de expedición del documento nacional de identidad, haciendo constar expresamente, y bajo su responsabilidad, que los datos transcritos «han sido comprobados y resultan acordes con los expresados en dicho documento», en aras a facilitar la representación de los interesados en cuanto a expedientes que intervengan ante la Administración Pública.

Este pequeño repaso a la historia más lejana de los Graduados Sociales, porque se debe considerar que la historia es la base sobre la que se forja un ser humano, como se forma la vida de un profesional, o en el caso que nos ocupa el devenir de una Profesión. Es de vital importancia recordar estas vivencias, porque solo desde la perspectiva de los años se ve lo que se ha conseguido, cómo se ha logrado y el resultado final al que se ha llegado. Los Graduados Sociales pueden estar satisfechos porque gracias a su esfuerzo en cada una de las vividas desde los inicios de la profesión. Se han obtenido unos resultados nada desdeñables, tal y como se constata en la actualidad.

2. LLEGA LA FIRMA DEL RECURSO DE SUPLICACIÓN

El año 2010 estuvo marcado por una de las reivindicaciones que el colectivo de Graduados Sociales llevaba años solicitando a los Gobiernos de la Nación, como era la firma del Recurso de Suplicación, que quedó reflejada en la Ley 13/2009, de 3 de noviembre, de Reforma de la Legislación Procesal para la Implantación de la Nueva Oficina Judicial (BOE n.º 266, de 4 de noviembre) y cuya entrada en vigor tuvo lugar el 4 de mayo de 2010.

Esta aspiración legítima que recogía la realidad jurídica existente, pues no hay que olvidar que somos los profesionales que intervinimos en más del 50 por ciento de los procedimientos laborales y de Seguridad Social, impulsados por el clamor general de que estábamos tan preparados como el que más para elaborar el Recurso de Suplicación y en consecuencia para firmarlo. Esta capacitación fue fruto de un titánico esfuerzo de trabajo, potenciado desde 2005, mediante reuniones maratonianas de trabajo mantenidas con todos los grupos políticos y parlamentarios, comparecencias en el Senado y en el Congreso de los Diputados, tanto en las diferentes Comisiones de trabajo –como la de Justicia–, para que se reconociera este hecho. Todo este esfuerzo negociador dio lugar, finalmente, a que esta importante aspiración se materializase.

Si se echa la vista atrás, queda el recuerdo del enorme esfuerzo, pero es verdad que cuando lo que se desea conseguir tiene una justificación que nadie puede poner en duda, el resultado termina siendo positivo. No se

puede pasar por alto, sería muy injusto, el agradecimiento a los compañeros, Presidentes, miembros de Juntas Gobierno, Colegiados de las diferentes provincias, que el Presidente del Consejo, D. Javier San Martín, recibió
como reconocimiento por haber liderado y obtenido esta vieja aspiración,
pero sin olvidar que fue el fruto del trabajo de todos.

Así, destacó, por su enorme emoción, el homenaje que se le realizó el
18 de diciembre de 2009 por todos los Presidentes de Colegios Oficiales de
Graduados Sociales de España en el transcurso de la Cena de Hermandad
que celebra el Consejo General en la época de Navidad, con la entrega
de una Placa firmada por todos los Presidentes de Colegios Provinciales
y miembros de la Comisión Permanente, en agradecimiento a las actividades desarrolladas para la consecución del Recurso de Suplicación. D.
Javier San Martín, mostró en ella su sorpresa, pues se había llevado con
el máximo sigilo por parte de todos los señores Consejeros, queriendo así
demostrarle su apoyo por las actuaciones realizadas. Él reconoció que fue
un acto muy entrañable.

En 2010 se celebraron un total de seis sesiones de la Comisión Permanente y cuatro reuniones del Pleno del Consejo General. De estas últimas,
la más destacada fue la del encuentro plenario celebrado en Santiago de
Compostela, hábilmente organizada por el Presidente del Colegio de Graduados Sociales de A Coruña y Ourense, hoy Vocal Electivo de la Comisión
Permanente, D. Germán Prieto-Puga Somoza, a quien años más tarde, por
sus méritos como jurista, el Ministerio de Justicia le otorgó la Cruz Distin-
guida de Segunda Clase de la Orden de San Raimundo de Peñafort, refren-
dando así su excelencia profesional.

En esta reunión, intervino el Director General de la Tesorería General
de la Seguridad Social –que en ese momento era D. Javier Aibar Bernad–,
acompañado del Subdirector de Afiliación y Recaudación de la TGSS, D.
Andrés Harto, quienes explicaron por primera vez a los señores Consejeros
los nuevos métodos de cotización y recaudación de la Seguridad Social –lo
que posteriormente conocido como Sistema Cret@–.

Se trataba de una auténtica «bala envenenada», pues este sistema, junto
con la especial modernización de la Seguridad Social que se ha desarrollado en años posteriores, ha sido la herramienta jurídica que ha utilizado el
Ministerio de Empleo para negar al colectivo de Graduados Sociales una
remuneración digna, histórica e incontestada, como es la Administración
Concertada.

En efecto, por aquel entonces comenzó a gestarse ya un caldo de cultivo
que terminó con esta tradicional forma de trabajar de los Graduados Sociales. Al cierre de esta edición y a la espera de la formación del nuevo Gobierno tras las elecciones generales celebradas el 21 de diciembre de 2015,
el Consejo General aún esperaba que la Ministra de Empleo y Seguridad
Social, D.ª Fátima Báñez, reciba a su Presidente para explicarle las causas
de dicha supresión y negociar fórmulas alternativas capaces de paliar en la

medida de lo posible, el daño innecesario que se ha hecho al colectivo con esta supresión del sistema de trabajo.

Galicia acogió con cariño y respeto a los Presidentes de los Colegios Provinciales de Graduados Sociales y el propio Presidente de la Xunta, D. Alberto Núñez Feijóo, en la audiencia que tuvo lugar durante esos días –celebrada en el Palacio Presidencial–, manifestó públicamente «la gran labor realizada por el colectivo de Graduados Sociales en la sociedad española».

Durante ese año, el Consejo General, siempre con el espíritu de colaboración que ha tenido con las Administraciones Públicas, rubricó un importante convenio con el INSS que buscaba facilitar y fomentar el uso de medios telemáticos, al objeto de que se pudieran agilizar los trámites de solicitud de prestaciones y demás cuestiones relacionadas este organismo público: el Convenio TESOL. Con él se buscaba divulgar, potenciar y facilitar por todas las provincias el uso del ya conocido Sistema RED.

3. IMPLANTACIÓN DEL GRADO EN RELACIONES LABORALES Y RECURSOS HUMANOS EN LA UNIVERSIDAD

En la crónica profesional de 2011, hay que resaltar la implantación del Grado en Relaciones Laborales y Recursos Humanos en la Universidad Española. Esta iniciativa se fundamenta en la necesidad de adaptación del Plan Bolonia con motivo del Espacio Europeo de la Educación Superior, que equiparó los estudios de Graduado Social en igualdad de créditos y con la misma duración que el resto de profesiones jurídicas.

En este aspecto, es preciso recordar al lector la lucha desplegada, como no podía ser de otra manera, puesto que los Graduados Sociales han tenido y tienen que trabajar siempre muy duro para que se reconozcan sus derechos. Por ello, resulta necesario hacer un breve paréntesis para explicar cómo los estudios de Graduado Social se incorporaron a la universidad española.

En un primer momento la formación se realizó en las Escuelas Sociales y se impartían durante tres años, a aquellas personas mayores de 16 años que habían superado la enseñanza primaria. La Real Orden de 12 de agosto de 1926 creó los títulos de «Graduado de la Escuela Social» para quien completara los tres años y «Graduado superior de la Escuela Social» para los que continuaban un año más de estudios mediante cursos de perfeccionamiento, de donde deriva la posterior denominación de «Graduado Social».

Hay que mencionar una Orden que se publicó en el año 1967, concretamente el 29 de diciembre, por la que se reguló que los Colegios Provinciales de Graduados Sociales, a través de un Graduado Social colegiado, formaran parte, como miembro nato, de los Claustros de Profesores o de los Patronos en las Escuelas Sociales. Esta medida fue de suma importancia, porque no hay nada mejor que un profesional en ejercicio o, por extensión, la Corporación de Derecho Público que vela por sus intereses, quien forme parte de la institución que instruye a los futuros egresados de los colegios. En la actualidad, las relaciones entre Universidad y Profesión siguen la misma línea de colaboración, buscando el bien común.

Ya en la década de los 80, se atisbaba que en un futuro no muy lejano los estudios de Graduado Social se incorporarían definitivamente al mundo universitario. A través de la Ley General de Educación se reguló como enseñanza de carácter especializado, con la publicación del Real Decreto 921/1980, de 3 de mayo. El plan de estudios para las diferentes Escuelas Sociales quedaría desarrollado el 26 de septiembre de ese mismo año.

Es en 1986, con el Real Decreto 1524/1986 cuando se regula la incorporación de los estudios de Graduado Social como título oficial universitario. Se cumplió así otra de las aspiraciones del colectivo, que pasó a denominarse Graduado Social Diplomado, aunque se vieron en la tesitura de realizar, quienes ya ejercían como Graduados Sociales, una prueba de equivalencia para quedar encuadrados en esta nueva denominación.

Al año siguiente, mediante el Real Decreto 1497/1987, de 27 de noviembre, se dotó a las universidades la competencia para impartir el título con unos planes de estudios configurados por ellas, siempre dentro de unas normas generales marcadas por el Ministerio de Educación. En desarrollo a esta norma se publicó el Real Decreto 1429/1990, de 26 de octubre, en el que se estableció el título universitario de «Diplomado en Relaciones Laborales» y sus planes de estudio conducentes a su obtención.

El 8 de abril de 2011, se celebró el primer encuentro Universidad-Profesión, en el que se valoró la situación del nuevo Grado, su denominación, implantación, y otros asuntos de interés para ambas partes. Se impuso en la formación de los Graduados Sociales el necesario entendimiento, imprescindible para que los estudios y la profesión vayan de la mano y tenga la proyección en la sociedad que se merece el Graduado Social, con la consolidación de ser el único especialista en Derecho del Trabajo y Seguridad Social.

En el ámbito corporativo también se produjo una importante actualización de la norma que regula al Consejo General de Graduados Sociales: los Estatutos Generales. Vino forzada por la necesidad de adaptar la legislación española por exigencias de la Unión Europea. De esta forma, se tuvo que aprobar el Real Decreto 503/2011, de 8 de abril de los Estatutos Generales de los Colegios Oficiales de Graduados Sociales para acomodarlos a los cambios legislativos producidos en la Ley de Sociedades Profesionales, en la Ley sobre el libre acceso a las actividades de servicios y su ejercicio y a las modificaciones introducidas en la Ley sobre Colegios Profesionales, entre otras. Los Estatutos, no obstante, en un periodo corto de tiempo sufrieron importantes cambios, ya que en el 2006 fueron adaptados a las normas constitucionales, debido a que éstos regían desde el año 1977.

Las relaciones del Consejo General con sus homólogos europeos se han mantenido fundamentalmente a través del Club Europeo, que se constituyó en el año 1993 y cuyos fundadores fueron los Consulenti del Lavoro y este Consejo General –actualmente lo conforman además Polonia, Macedonia y Rusia–.

Durante el mes de abril del 2011, se celebró en Lanzarote la «*I Cumbre Hispano Italiana*», con el fin de analizar el desarrollo y la implantación de las profesiones laborales entre el Consejo General y los Consulenti di Lavoro en España y en Italia. La calidad de los ponentes que intervinieron, la asistencia a la misma de los dos representantes de las profesiones en España (D. Javier San Martín) e Italia (D.ª Marina Calderone), el delicado momento económico por el que ambos países atravesaban y la diferente regulación de los estudios que dan lugar en estos países al acceso a la profesión, motivó que las reflexiones de la cumbre fueran especialmente rigurosas en orden a sus planteamientos. Así, la delegación Italiana, se llevó un grato recuerdo de dicha cumbre al descubrir que el acceso a la profesión de Graduado Social en España –a diferencia de lo que ocurre allí– se realiza a través de la Universidad Española, mediante los estudios de Grado en Relaciones Laborales y Recursos Humanos. Tomaron buena nota de ello para tratarlo con las autoridades correspondientes de su país.

Otro encuentro destacado se llevó a cabo en el mes de septiembre. Se celebró en Granada, donde el colectivo se reunió en torno a la XIII Asamblea Nacional de Graduados Sociales. En el transcurso de la misma tuvo lugar la entrega del Premio Francisco Rojo al ya fallecido, D. José Luis García Bigoles, persona entrañable y uno de los máximos exponentes en la historia del colectivo de Graduados Sociales.

Bigoles, como todo el mundo le conocía, era un personaje singular. Una persona generosa y humana, que, sin duda, fue el artífice de un cambio en la dirección del Consejo General, que ha servido para crear un modelo diferente. La profesión está viva y asume el reto de capitalizar y liderar el Derecho del Trabajo y de la Seguridad Social en nuestro país y Bigoles fue, quizá sin saberlo, uno de los núcleos del cambio.

José Luis García Bigoles, era asturiano y lo llevaba a gala. Su condición de laboralista en la cuenca minera forjó una leyenda sobre su persona. Era vitalista, astuto, valiente, bueno, un auténtico caballero y dejó amigos ¡¡vaya si los dejó!

El Consejo General de Colegios Oficiales de Graduados Sociales de España en reconocimiento a su persona, bautizó en el 2012 la Escuela de Verano que año tras año desde su fallecimiento se celebra durante dos días en Asturias, como Escuela de Verano «José Luis García Bigoles».

Como los grandes, falleció con las «botas puestas», trabajando en lo que más le gustaba, el Derecho del Trabajo. Sucedió cuando regresaba de participar en la XII Asamblea Nacional de Juntas de Gobierno, que durante los días 24 y 25 de mayo de 2012 se celebró en Cádiz. Regresaba a su ciudad cuando sufrió un infarto de miocardio que si bien superó inicialmente, lamentablemente no fue así unos días después.

Después de este pequeño paréntesis y volviendo a la Asamblea Nacional de Granada, hay que destacar la intervención del que fuera Ministro de la Presidencia, D. Ramón Jáuregui. Fue apoteósica, ya que este hombre de exquisitas cualidades humanas, es un gran analista de la política mundial y su conferencia, que versó sobre la responsabilidad social corporativa fue una lección magistral de cómo se debe abordar la Ley de Prevención de Riesgos Laborales en las empresas españolas, cumpliendo y haciendo cumplir la misma, a fin de frenar ese gran azote que es el accidente de trabajo.

Un poco más adelante, el 25 de octubre de 2011, los Presidentes de los Colegios fueron recibidos por el Presidente del Gobierno de España D. José Luis Rodríguez Zapatero, en el palacio de la Moncloa. Se llevaba años detrás de él, con el fin de conseguir dicha reunión. A D. Javier San Martín le molestaba especialmente, que siendo de León y conociéndole personalmente –estudiaron en la Facultad de Derecho de León coincidiendo, en al menos, dos cursos en las mismas aulas y compartiendo profesores y compañeros–, decía no entender como a un grupo de profesionales ya consagrado en la sociedad, no les recibiera en La Moncloa, tal y como habían hecho los Presidentes de Gobierno precedentes.

El esfuerzo dio sus frutos. D. Javier San Martín le agradeció el trato recibido personalmente, el cariño que mostró con todos los Presidentes y el tiempo dedicado. Ningún Presidente se quedó sin fotografía y sin espacio para charlar con él personalmente. Sin embargo, el Sr. San Martín criticó que diera la Audiencia precisamente al final de su legislatura, cuando ya estaba todo hecho y cuando la crisis económica, le obligaba a él y a su Gobierno a acudir a diario a los mercados en busca de más de 300 millones de euros, que eran necesarios para que España pudiera sobrevivir sin ser rescatada. Con todo, la comparecencia de La Moncloa fue un rotundo éxito institucional.

Para concluir este apartado, es preciso citar el nombramiento del Presidente del Colegio de Graduados Sociales de Cádiz y Ceuta, como Presidente de Honor del Consejo General, en un Pleno celebrado el día 16 de diciembre, habida cuenta de su trayectoria profesional y como insigne representante de la profesión.

Por otra parte, destacar que vieron la luz otros proyectos como la creación de un instituto dedicado a la investigación en materia de Derecho de Trabajo y de la Seguridad Social, así como de asuntos relacionados con el asesoramiento a las pymes.

Igualmente se constituyeron los Registros Nacionales de Graduados Sociales-Asesores Fiscales y el de Graduados Sociales-Mediadores, para todas aquellas empresas e instituciones que requieran de un profesional en estos temas.

Una de las funciones primordiales de este Consejo General es ofrecer al colectivo la oportunidad de que el trabajo diario en su despacho profesional resulte más ágil y eficaz, además de dar la posibilidad de que su volumen de trabajo pueda aumentar con recursos que el Consejo General les ofrezca, y esto se consigue con la firma de convenios que pueda suscribir el Consejo con la Administración Pública o con empresas privadas, para conseguir despachos profesionales con gran valor de competitividad. Por tanto, se constituyeron los registros antes mencionados, con la exigencia de una alta formación para pertenecer a ellos, y que a través de la Fundación Justicia Social, dependiente de esta corporación, más concretamente de su plataforma tecnológica de gestión de la formación, se han impartido cursos bonificables, ya que la Formación Profesional para el Empleo supone en las empresas-clientes de los despachos profesionales de Graduados Sociales, un evidente aumento de valor social y económico, además de para el propio colegiado.

No se puede olvidar que en este año se produjo un hecho catastrófico en España, el terremoto sufrido en Lorca, que dejó la ciudad totalmente destruida y familias sumidas en el dolor por la pérdida de seres queridos. El Consejo General no podía ser impasible al dolor que se estaba produciendo y, por tanto, se aprobó por todos los Consejeros de esta Corporación, un Decreto de Presidencia por el que se suspendió temporalmente la obligación del pago de la colegiación a todos los compañeros lorquinos con despacho profesional en la localidad, hasta que la normalidad se restableciera en la ciudad, muestra que agradeció muy sinceramente el presidente del Colegio de Graduados Sociales de Murcia, D. José Ruiz Sánchez.

A finales de 2011 nos encontrábamos ya al término de la Legislatura y en el umbral de unas elecciones generales que probablemente cambiarían el panorama político de este País, lo que a la postre así sucedió.

La mayor parte de los ciudadanos estaban y están –porque aunque se ha recuperado el panorama económico, todavía queda un largo camino por recorrer– muy interesados en salir de la crisis económica lo antes posible y se hacía con un voto de confianza en nuestros gobernantes para que descubriesen la fórmula mágica que nos llevase de nuevo al Estado de Bienestar que hace años vivía el País. Sin embargo, ante la tozudez de los hechos, parece que dicha fórmula no existe o nuestros gobernantes no son capaces de descubrirla. Lo cierto es que el panorama económico actualmente va cambiando, pero muy lentamente.

Ahora bien, no debemos ser pesimistas, todos los españoles tenemos la obligación de creer en el futuro y de contribuir, en la medida de lo posible, a impulsar a nuestro País hacia la prosperidad.

En esta situación tan confusa, es de agradecer que nuestros representantes políticos sigan produciendo un marco legal que contribuya a desarrollar positivamente el panorama Jurídico Procesal español. Y en este año 2011 se publicaron tres Leyes Ordinarias que el Boletín Oficial del Estado publicó con fecha 11 de octubre de 2011: Ley 36/2011 de 10 de octubre, Reguladora de la Jurisdicción Social; Ley 37/2011, de 10 de octubre, de Medidas de Agilización Procesal y por último Ley 38/2011, de 10 de octubre, de reforma de la Ley 22/2003, de 9 de julio, de la Ley Concursal.

Estas tres leyes, cuyo impulsor es el Ministerio de Justicia, eran un exponente de la voluntad de hacer las cosas bien y las tres influían decisivamente en el desarrollo de nuestra profesión.

La primera, la Ley Reguladora de la Jurisdicción Social, ponía fin a un peregrinaje del justiciable por las diferentes Jurisdicciones en el accidente de trabajo, amén de que recogía más de veinte sugerencias elaboradas por este Consejo General, en su fase de codificación. También nuestra histórica esperanza del traslado de materias de la Jurisdicción Contencioso Administrativa a la Jurisdicción Social, poniendo como broche de oro la irrevocable decisión del legislador de perpetuar la Representación Técnica y el Recurso de Suplicación, como competencias del Graduado Social. Esta Ley significaba por lo tanto, la consagración de las facultades procesales de los Graduados Sociales, y suponía un incentivo para esta Corporación, ya que inexorablemente aumentaría el volumen de litigiosidad laboral en descargo de la Contencioso-Administrativa y en consecuencia aumentaría notablemente el volumen de negocio en los despachos.

La segunda Ley, de Medidas de Agilización Procesal, que modifica las Leyes de Enjuiciamiento Criminal, la de venta a plazos de Bienes Muebles, la reguladora de la Jurisdicción Contencioso-Administrativa, la de Enjuiciamiento Civil y la de Medidas Fiscales y Administrativas del Orden Social, incluye importantes novedades en cada una de ellas, con la finalidad inexcusable de acelerar los procesos judiciales.

Y por último la Ley Concursal, que contribuiría notablemente a mejorar las soluciones de las pequeñas y medianas empresas, y en definitiva de nuestros clientes modernizando la Norma, adaptándola a la realidad social.

En suma, el año 2011 para la profesión de Graduado Social fue ciertamente positivo.

4. CONCESIÓN DE LA GRAN CRUZ DE LA JUSTICIA A D. JUAN CARLOS I

El año 2012 comenzó con uno de los actos más emotivos que haya podido tener lugar en la historia de los Graduados Sociales, fue la imposición de la Gran Cruz de la Justicia Social a Su Majestad el Rey Juan Carlos I, en la actualidad Rey emérito.

La Gran Cruz de la Justicia Social del Consejo General de Graduados Sociales de España, es la máxima distinción honorífica que el Colectivo de Graduados Sociales otorga a una persona o a una entidad por actos y hechos relevantes, con un significado especial para el mundo de la Justicia Social.

El 31 de enero del año 2012, la totalidad de los componentes del Pleno de esta Corporación, así como su personal laboral, se desplazaron al Palacio de la Zarzuela donde fueron recibidos por el Rey Juan Carlos y tuvieron ocasión de imponerle la Gran Cruz.

Esta condecoración únicamente se ha concedido a cuatro personas en toda su historia. La primera a S.M. el Rey D. Juan Carlos I; la segunda a quien fuera un gran amigo y magnífico Graduado Social, Vicente Cardellach Marzá, fallecido lamentablemente en noviembre del 2014;la tercera a S.M. el Rey Felipe VI y por último en el año 2015 al Ministro de Justicia D. Rafael Catalá Polo.

Recuerdo con cariño y admiración, como el Rey Juan Carlos, que por aquel entonces estaba sufriendo los impactos mediáticos del «Caso Urdangarín», estaba especialmente emocionado por las muestras de apoyo que recibió de todo el colectivo y especialmente a su Presidente, D. Javier San Martín, a quien obsequió con dos abrazos de humanidad y simpatía que nunca podrá olvidar, máxime cuando había sido advertido por el Protocolo de la Casa Real que a S.M. no se le debería de tocar, sino que era él quien lo debía de hacer y con esa precaución se había entrado en la Audiencia.

La Cruz se impuso y todo el grupo se hizo una gran fotografía de familia, no sin antes asistir al nombramiento de «Proveedor de Naranjas de la Casa Real» a Vicente Cardellach.

Éste, fue un maestro. Era «listo como una ardilla», no se le escapaba ningún gesto, conversación, ni oportunidad que tuviera para utilizar su maestría. Cuando se realizaba la foto del grupo, le dijo al Rey: «*Majestad le voy a enviar unas naranjas de mi finca que tienen mucha vitamina C y es necesaria para coger fuerzas*». El Rey ni dijo si, ni no, pero precisamente por eso, Cardellach que era «una ardilla» dijo que «*el que calla otorga*» y le envió naranjas a La Zarzuela. No trascendió si llegarían a su destino y sí aun llegando, el Rey las saboreó o no, pero lo cierto es que desde ese momento Vicente se hizo llamar «Proveedor de Naranjas de la Casa Real».

Otro evento a destacar se llevó a cabo durante los días 24 y 25 de mayo, se trataba de la XII Asamblea Nacional de Juntas de Gobierno de Colegios Oficiales, que tuvo como sede a Cádiz. Dicho encuentro fue un rotundo éxito en el que compañeros de todos los rincones de España, tuvieron ocasión de escuchar destacadas intervenciones referidas fundamentalmente a la reforma laboral del Gobierno, así como de la Ley Reguladora de la Jurisdicción Social. La Ministra de Empleo y Seguridad Social, D.ª Fátima Báñez, afirmó en la clausura de dichas jornadas que la reforma laboral «*necesitaba el compromiso de la sociedad para tener éxito*», apuntando que con la actual crisis «*exigía cambios, es el momento de hacer reformas para poder avanzar, no se puede esperar, hay que tomar las medidas necesarias para salir adelante*».

Respecto a la reforma laboral, la Sra. Ministra precisó que anteriormente la legislación «*era muy rígida, nos hacía poco competentes*», y añadió que la nueva norma había buscado el consenso de todos los agentes sociales: «*El Gobierno ha sido valiente porque ha tenido que seguir adelante con aquellas medidas que no han logrado consenso pero que eran necesarias*».

Durante el acto, la Sra. Báñez resaltó el papel que deben desempeñar los Graduados Sociales: «*La sociedad necesita también del compromiso y la seriedad de este colectivo, junto a otras profesiones de la justicia social, pues de su responsabilidad depende el futuro de los españoles*».

Sin embargo, de estas mismas palabras podía haberse acordado la Sra. Ministra de Empleo cuando en diciembre de 2014 eliminó de un plumazo la Administración Concertada. Este fue el encuentro más largo mantenido con esta ministra y sirvió para conocer sus opiniones, puesto que en la reunión celebrada con ella en febrero de 2012, la otra reunión mantenida desde que fue nombrada Ministra de Empleo, estuvo acompañada por el Secretario de Estado de Seguridad Social, Tomás Burgos, por la Secretaria de Estado de Empleo, D.ª Engracia Hidalgo, y por los Directores de la Tesorería General de la Seguridad Social, Ordenación de la Seguridad Social y del Instituto Nacional de la Seguridad Social.

5. RECONOCIMIENTO DE LA CUALIFICACIÓN PARA EL EJERCICIO PROFESIONAL

En el mes de noviembre, se celebró en Valencia el Encuentro entre el Consejo General del Poder Judicial y el Consejo General de Colegios Oficiales de Graduados Sociales de España. Por cierto, que este es el último celebrado hasta ahora. En este caso, sirvió de manera clara y rotunda para situar a los Graduados Sociales en la Sociedad Española, con todos los méritos necesarios y especialmente, con los tres últimos objetivos alcanzados: el Grado en Relaciones Laborales y Recursos Humanos, la Firma del Recurso de Suplicación y la figura del Graduado Social en la Ley Reguladora de la Jurisdicción Social, todos ellos explicados en este libro.

El Grado en Relaciones Laborales y Recursos Humanos es hoy en día una realidad, que ha permitido que la profesión tenga un futuro más que prometedor. Este hecho demuestra, que todas aquellas personas que hace años apostaron por la profesión, vieran recompensada aquella decisión, pues sin lugar a dudas, se ha mostrado acertada en el tiempo. El reconocimiento de una actividad, que nace en los campus universitarios.

En el Consejo General existía el convencimiento de que era necesario concertar un curso de adaptación, implicándose en el diseño de su programa formativo. Y se pudo hacer realidad con la colaboración de la Universidad Francisco de Vitoria con la que se firmó un acuerdo, aún vigente, y gracias a este curso numerosos Graduados Sociales son ahora graduados en Relaciones Laborales y Recursos Humanos. Además, como resultado de la magnífica relación entre ambas instituciones surgió la creación de la beca «Consejo General de Graduados Sociales» a la excelencia, así como la aportación al claustro de profesores de Graduados Sociales expertos.

En esta misma línea, hay que hacer referencia a la publicación el 6 de agosto de 2012 de la Orden PRE/1733/2012, de 27 de julio, por la que se reguló el reconocimiento de la cualificación profesional para el ejercicio en España de la actividad de Graduado Social. Dicha norma supuso una gran noticia para el colectivo, ya que ha pasado a ser considerada una de las profesiones jurídicas de este país, con la facultad de que la pueda ejercer en España cualquier ciudadano de los Estados miembros de la Comunidad Europea.

En el año 2014 se realizó desde el Consejo General y su Fundación «Justicia Social» con la Universidad de Extremadura, a través de D.ª Lourdes Moreno Liso, –profesora del Departamento de Derecho Privado, área Derecho Mercantil–, la obra titulada «Los Graduados Sociales en Europa: el ejercicio de la profesión en Reino Unido, Francia, Portugal, Alemania y España».

Esta publicación ha sido la primera que se lleva a cabo en la Unión Europea sobre la profesión y su variada configuración en esos países comunitarios. En él se desarrolló un estudio concienzudo, profundo, laborioso y técnicamente casi perfecto, reflejo del gran trabajo realizado por la Dra. Lourdes Moreno y todo su equipo. Se recopilaron datos que ponen de manifiesto la necesidad de que tanto la profesión como el Derecho del Trabajo cuenten con una élite de técnicos laborales homogéneos para toda la Unión Europea, al tiempo que los Estados miembros realicen una función legislativa de modernización y actualización de las Relaciones Laborales. Se trata de un texto de obligada lectura si se quiere conocer las profesiones hermanas en la Unión Europea.

Muchas de las actuaciones realizadas en 2012 han dado sus frutos en años posteriores. Así, se comenzó a trabajar en la incorporación del Graduado Social a la Ley de Asistencia Jurídica Gratuita, con el Ministro de Justicia, D. Alberto Ruiz Gallardón, con su Secretario de Estado D. Fernando Román, el Subsecretario de Justicia D. Juan Bravo y toda la plana mayor del Ministerio, quienes nos escucharon desde el primer día con máxima atención y a quienes el Consejo General agradece desde estas líneas la gran labor que hicieron durante su tiempo de gestión en el citado Ministerio.

Se inició una nueva línea de trabajo y estudio destinada a dar a la Justicia Gratuita en España la posibilidad de que también quien más lo necesitara fuera atendido por el colectivo de Graduados Sociales en materia laboral. Este proyecto verá la luz en breve, a lo largo del año 2016. Además, este proyecto lleva aparejado también, que los Graduados Sociales una vez finalicen los estudios universitarios de grado, cursen el máster de acceso al ejercicio de la profesión ante los Tribunales de Justicia y naturalmente el examen de Estado para su ejercicio, en iguales condiciones que el resto de las profesiones jurídicas.

6. COMPETENCIAS EN EL ÁMBITO JURISDICCIONAL

Al hilo del trabajo que se estaba realizando para la incorporación de los Graduados Sociales en la Asistencia Jurídica Gratuita, se llegó a 2013. Fueron destacables en este periodo las innumerables reuniones, y contactos telefónicos mantenidos por D. Javier San Martín, con los responsables del Ministerio de Justicia, debido a cuestiones que afectaban de lleno al colectivo y que iban a redundar en una ampliación de competencias en el ámbito jurisdiccional. Se trataba de la incorporación del Graduado Social al libro VII del texto de la Ley Orgánica del Poder Judicial; el tratamiento del nuevo Código Penal a los delitos contra la seguridad de los trabajadores; el Recurso de Casación y la incorporación de un Graduado Social como Vocal del Consejo General del Poder Judicial.

Con respecto a la incorporación de los Graduados Sociales en la LOPJ, se mantuvieron varios contactos debido a que al Consejo General le extrañó el trato que los Graduados Sociales habían recibido en la Ley Orgánica 4/2013, de 28 de junio, de reforma del Consejo General del Poder Judicial, por la que se modifica la Ley Orgánica 6/1985, de 1 de julio, del Poder Judicial, más concretamente, en el citado libro VII, donde faltaba la referencia expresa a los Graduados Sociales.

El Secretario de Estado de Justicia entendió perfectamente la exposición planteada por la Corporación, solicitándole al Consejo la elaboración de unas enmiendas para valorar y estudiar, con mayor profundidad, los cambios que se debían realizar en el vigente texto normativo. A los pocos días, ya se había cumplido el encargo. Posteriormente, en abril de 2014, se volvió a remitir a esta Corporación, el Anteproyecto de Ley Orgánica del Poder Judicial.

Tras un estudio pormenorizado y minucioso del texto por parte de D. Javier San Martín, consideró que el texto de la futura norma se adaptaba fielmente a la realidad social, aunque se trasladó al Ministerio una apreciación, referente a las funciones de representación y defensa que los Graduados Sociales podían desempeñar, no solamente en los procedimientos que autoriza la Ley Reguladora de la Jurisdicción Social sino además en los que autoriza la Ley Concursal.

Este punto será abordado con más detalle en la crónica de 2015, puesto que con la aprobación de la nueva Ley Orgánica del Poder Judicial, el colectivo quedó respaldado como la profesión jurídica que era ya desde hacía muchos años, pero que a partir del mes de julio de 2015, lo siguió haciendo con el aval de una Ley Orgánica.

Mientras tanto, volviendo a 2013, es preciso destacar que el Presidente del Consejo General se reunió en el mes de octubre con el Secretario

General de la Administración de Justicia, D. Joaquín Silguero –órgano directivo que asume las funciones de impulso, dirección y seguimiento de la modernización de la Administración de Justicia, así como la ordenación y distribución de sus recursos humanos, materiales y financieros–. Uno de los puntos principales de temario del día se refirió a la firma de un acuerdo marco de colaboración en materia tecnológica entre el Ministerio y el Consejo General, como pieza fundamental para poner en marcha una cooperación auténtica y establecer las bases para el fomento y uso generalizado de las nuevas tecnologías como herramienta necesaria e imprescindible para la mejora de la Justicia, cuya firma se hizo efectiva el 18 de noviembre de 2013.

Es destacable el enorme esfuerzo que realizó el Consejo General para la puesta en marcha del Sistema LexNET, máxime cuando era un imperativo legal del Ministerio de Justicia para eliminar el papel a partir del 1 de enero de 2016 en todos los juzgados.

Se ha trabajado arduamente con el Ministerio para conseguir que el colectivo de Graduados Sociales se incorporase a esta nueva forma de trabajar, con la mínima repercusión para el trabajo diario de los despachos profesionales. Por ello, se creó un censo profesional, indispensable en esta plataforma telemática, que elaboraron los Colegios Provinciales, tan eficaces en su trabajo como siempre.

A su vez, el Consejo General proporcionó tarjetas criptográficas a los colegiados, con el consiguiente certificado de la Fábrica Nacional de Moneda y Timbre, para colaborar en la correcta adaptación de los despachos profesionales. Como complementos necesarios, de una parte se procedió a facilitar la formación que los Colegios Provinciales impartieron entre sus respectivos colegiados, mientras que por otra parte se creaba un Centro de Atención al Usuario del sistema LexNET.

Para avanzar en la imagen del colectivo se aprobó por el Consejo General la creación de un carné colegial unificado, con su certificado digital de la Fábrica Nacional. Así, se le daba un valor añadido a la profesión.

El mundo avanza a ritmo de tecnología y esta profesión, si no se quiere quedar atrás, tiene que subirse a ese carro, siendo los inicios por lo general muy duros, pero como siempre ocurre en estas actuaciones, ahora nos preguntamos sobre cómo se había vivido sin ellas. Con la retrospectiva suficiente, se hace necesario desde estas páginas, felicitar a todos los intervinientes por el gran trabajo en equipo.

En la actualidad, y dentro del ámbito tecnológico, desde el Consejo General se está trabajando en una plataforma telemática para la realización de trámites administrativos en materia de Extranjería por vía electrónica, iniciada tras el convenio firmado con el Ministerio de Hacienda y Administraciones Públicas. Esta plataforma permitirá a los Graduados Sociales colegiados hacer las gestiones necesarias para la presentación electrónica de documentos en representación de los interesados. Sin embargo, obligará al Graduado Social a disponer de firma electrónica certificada por la Autoridad de Certificación, así como figurar inscrito y en situación de alta en el registro que constituirá el Consejo General de Graduados Sociales de España a tal efecto.

Otro activo que se está poniendo en marcha es la plataforma informática denominada «Represent@», desarrollada por la Dirección de Tecnologías de la Información y las Comunicaciones del Ministerio de Hacienda y Administraciones Públicas, que tiene por objeto ofrecer un punto en común para la validación de la habilitación e identidad de los profesionales asociados a colectivos de representación de personas naturales o jurídicas. Con ella se busca incrementar la eficacia y eficiencia de la relación de los Graduados Sociales y sus representados, con las Administraciones Públicas para el desarrollo de actuaciones dirigidas a facilitar a ciudadanos y empresas los servicios de la Plataforma Represent@.

Y por último, pendiente aún de firmar y desarrollar, se encuentra el Convenio de Colaboración en materia tecnológica con el Ministerio de Justicia, tendente a posibilitar la habilitación de los Graduados Sociales colegiados para la presentación electrónica de solicitudes de nacionalidad española por residencia, en representación de los interesados. A día de hoy, todas las semanas somos convocados, junto con las otras partes afectadas, por la Dirección General de los Registros y del Notariado a la Comisión Técnica para la puesta en marcha del nuevo procedimiento de nacionalidad española por residencia.

7. LA LLEGADA A LA ACADEMIA DE JURISPRUDENCIA

En consonancia con el trabajo que desde el Consejo General se estaba realizando para conseguir que el colectivo se incorporara a la Ley de Asistencia Jurídica Gratuita, el Presidente del Consejo General asistió, el 12 de junio, ante la Comisión de Justicia del Senado, donde defendió la propuesta del Gobierno sobre la incorporación del Colectivo de Graduados Sociales, así como la posibilidad de la creación de Cortes de Arbitraje y Mediación Laboral en los diferentes Colegios de Graduados Sociales de toda España, y poder colaborar de esta manera en un mejor funcionamiento de los juzgados de lo social. Además se insistió en la necesidad de ser incorporados, convenientemente, en la Ley Orgánica del Poder Judicial.

En esta comparecencia estuvo acompañado por los miembros de la Comisión Permanente de esta corporación, que era necesario que tuvieran presencia en uno de los días en los que se defendían los intereses de la profesión ante uno de los estamentos del Estado Democrático. También, como no podía ser de otra manera, estuvo arropado por el Senador y a su vez Presidente del Colegio de Graduados Sociales de Cádiz y Ceuta, que con su inestimable colaboración siempre pone su granito de arena en toda reclamación que ante las instituciones se llevan a cabo.

D. Javier San Martín ha reconocido que a lo largo de su vida institucional, siempre que ha tenido oportunidad, ha explicado a los representantes del Gobierno, la Judicatura y demás órganos relacionados con la profesión, la importante labor que en los despachos de los Graduados Sociales se realiza en materia de mediación, y que gracias a ello muchos de los asuntos que allí se tratan, no llegan a los juzgados, colaborando en que estos no estén tan colapsados. Así, el Consejo General de Graduados Sociales, sus 43 Colegios Provinciales y los colegiados de España, siempre han entendido lo esencial de la mediación y la necesidad de modificar la normativa para poder actuar convenientemente.

En aras a esta colaboración, se firmó un convenio con la Presidenta de Grupo Europeo de Magistrados por la Mediación España –GEMME– y Magistrada de la Sala IV del Tribunal Supremo, D.ª Lourdes Arastey Sahagún. Se acordó participar en un simposio que se celebró en Madrid sobre Mediación en España, que fue todo un éxito y en el que participaron instituciones y personalidades de gran renombre en la materia.

También es destacable la creación en 2013 de la Unión de Colectivos de Profesionales del ámbito tributario (UCPT) en la que los Colectivos Profesionales Tributarios más representativos se han unido para propiciar un sistema tributario más justo y equitativo, velar por los derechos y garantías de los contribuyentes e intensificar la cooperación con la Administración Tributaria. Esta unión nació tras la constitución en el año 2011 del Foro de Asociaciones y Colegios de Profesionales Tributarios que constituyó la Agencia Estatal de Administración Tributaria, foro que se constituyó con las Asociaciones y Consejos Generales de profesionales más representativos del ámbito tributario.

El objetivo del Foro era fomentar la relación cooperativa entre la Agencia Tributaria y los profesionales del ámbito tributario basada en la transparencia y la confianza mutua, que redunde en última instancia en beneficio del contribuyente, favoreciendo el cumplimiento de sus obligaciones fiscales.

Es importante subrayar el gran trabajo que realizan D. José Ruiz Sánchez, Presidente del Colegio de Graduados Sociales de Murcia y D. José Castaño, Vicepresidente del citado colegio que desde sus inicios forman parte de este Foro. También colaboró el que fuera Vicepresidente 2.º de esta corporación, D. Francisco Rueda Velasco.

Otro hecho importante que marca un antes y un después del Colectivo de los Graduados Sociales, es la incorporación de su Presidente a la Real Academia Española de Jurisprudencia y Legislación (RALYJ) en calidad de Académico Correspondiente. En la Sesión celebrada el 24 de junio del año 2013, la Junta de Gobierno de la Academia aprobó el ingreso de D. Javier San Martín, con la incorporación a través de la lectura de una conferencia que llevaba por título «La excedencia para competir», en fecha 14 de marzo del 2014.

El nuevo académico reconoció que «fue una vivencia extraordinaria y sé que para el resto de Consejeros de esta Corporación también lo fue. A partir de este momento y con esta incorporación, se abrió la posibilidad a todos los Graduados Sociales que teniendo la cualificación de Doctor y asumiendo la responsabilidad de impartir las conferencias necesarias en la Academia, formen parte de esta insigne institución».

Sería un auténtico orgullo y un honor para el colectivo, que dentro de unos años, existiese un nutrido grupo de Doctores Académicos en Relaciones Laborales y Recursos Humanos dentro de la máxima institución del Derecho en nuestro País, por lo que D. Javier San Martín ha señalado que «animo a todos que así sea».

La Real Academia de Jurisprudencia y Legislación de España es una Institución con una extensa trayectoria histórica a lo largo de numerosos siglos. Ya la Constitución de 1840 declaraba que la Academia tenía como fines «el estudio teórico y práctico de la legislación y jurisprudencia» entendida como «ciencia del Derecho», fomentando la cultura jurídica y así obtener su realización más perfecta como arte, influyendo en las reformas y en los progresos de la legislación española y del derecho internacional. Sus miembros realizan una labor de investigación y estudio profundo de la legislación y de la jurisprudencia, con el fin de ayudar y resolver consultas planteadas por el Gobierno e Instituciones Oficiales, nacionales y extranjeras, y por todo lo anterior repito, es todo un orgullo formar parte de ella.

La relación existente con esta institución es inmejorable, tanto es así que parte de los actos institucionales que el Consejo General realiza anualmente en el mes de diciembre, se hacen allí, y fue en el acto del año 2014 cuando la RAJYL entregó su Medalla de Honor al Consejo General de Colegios Oficiales de Graduados Sociales de España, la cual recogió su Presidente, siendo esta distinción la que otorgan a las personas físicas o jurídicas que hayan destacado por su colaboración y ayuda a las actividades de dicha Corporación.

Un agradecimiento muy especial hay que realizar en este aspecto a D. Luis María Cazorla Prieto, Académico de Número, Tesorero y Presidente de la Fundación Pro RAJYL, por su constante apoyo para que el Consejo General sea parte activa de la vida de este organismo. Esta emblemática personalidad coincidió con el Presidente del Consejo General en el año 2005, en el acto donde les impusieron a ambos la Gran Cruz de la Orden de San Raimundo de Peñafort, que se celebró en el Palacio de Parcent ante el por aquel entonces Ministro de Justicia, D. Juan Fernando López Aguilar.

Se trata de la más alta distinción que otorga el Ministro de Justicia y, a partir de ese momento, año tras año, tras elevar la petición oportuna el Consejo General de Graduados Sociales a la Cancillería de la Orden de San Raimundo de Peñafort, se han venido concediendo, en sus diferentes categorías, a muchos Graduados Sociales y reputados colaboradores de esta profesión, que han sido distinguidos.

El año 2014, se convirtió en un periodo fundamental para la profesión y en el momento de recibir la recompensa por todo el esfuerzo desplegado por el Consejo General durante los años previos.

Como no podía ser de otra manera, se potenció la excelente relación que tradicionalmente ha venido existiendo entre el Ministerio de Justicia y el Consejo General. Las reivindicaciones planteadas a los representantes de la Administración siempre han sido valoradas y comprendidas a la perfección. En todo este periodo, ha existido un diálogo fructífero para lograr entendimiento en beneficio de la profesión y, por extensión, de la sociedad española. Así, en el encuentro que se mantuvo en mayo, en el que hubo una nutrida asistencia de Presidentes de Colegios y de representantes del Ministerio de Justicia, se planteó al Consejo General una propuesta del Consejo General de la Abogacía Española para que el colectivo de Graduados Sociales se incorporara a una «sección especial» que dicha corporación crearía «ex novo», con la denominación de «Abogado Social», lo que fue rechazado frontalmente por esta corporación, que se transmitió, con las oportunas explicaciones, a los dirigentes del Ministerio y que entendieron perfectamente.

A lo largo de este año, la actividad del Presidente del Consejo General, D. Javier San Martín, se multiplicó con el objetivo de explicar los beneficios que supondría la incorporación del colectivo a la Ley de Asistencia Jurídica Gratuita. Hubo reuniones en el Congreso de los Diputados, con la portavoz del Grupo Socialista en la Cámara Baja, D.ª Soraya Rodríguez, a la que también asistió, D. Julio Villarrubia, diputado del mismo partido y Portavoz de la Comisión de Justicia (persona que siempre que ha tenido oportunidad, como ocurrió con la firma del Recurso de Suplicación, ha apoyado al colectivo). Este encuentro sirvió, para pedir el apoyo institucional y parlamentario, ante la inminente entrada en Las Cortes de las leyes de Asistencia Jurídica Gratuita y de Servicios Profesionales. En el caso de esta última, para que se incorporara a los Graduados Sociales como profesión con colegiación obligatoria para ejercer.

Sobre estos mismos temas se celebró una reunión en la sede del Consejo General de la Abogacía Española, con su Presidente D. Carlos Carnicer, que sirvió para afianzar posiciones. Fue un acuerdo cordial, donde cada uno expuso sus diferentes puntos de vista, en defensa cada uno de su propio colectivo profesional.

8. UN CAMBIO EN LA FORMA DE PERCIBIR A LOS GRADUADOS SOCIALES

En el mes de septiembre de 2014, se produjo un punto de inflexión. Hubo un cambio de actitud en la cúpula del Ministerio de Justicia, mediante el nombramiento, por el Gobierno, de D. Rafael Catalá Polo como ministro.

El colectivo tuvo la suerte de que la persona que dirigiera la cartera de Justicia ya conociera perfectamente esta profesión. Sabía su implicación en la Justicia Social. De hecho, gracias a él, por su saber entender a la profesión en sus reivindicaciones, en el año 2003, se incorporó en la LOPJ, a través de su artículo 545.3, el concepto de «Representación Técnica». El texto pasó a regular que «en los procedimientos laborales y de Seguridad Social la representación técnica podrá ser ostentada por un Graduado Social colegiado». Así, se reflejaba en la norma la defensa jurídica en el pleito por parte del Graduado Social.

A este respecto, es interesante recordar que en 2003, cuando D. Javier San Martín se encontraba en Varsovia, en un taxi y con una lluvia torrencial, recibió la llamada del entonces Secretario de Estado de Justicia, para comunicarle que el Gobierno de la Nación había decidido incorporar la «Representación Técnica» en la Ley Orgánica del Poder Judicial, fue un momento crucial para la profesión, como se ha podido constatar durante los años subsiguientes.

Tras su toma de posesión como Ministro, en el mes de octubre, el Sr. San Martín continúo con la ardua labor de justificar la incorporación de los Graduados Sociales a la Ley de Asistencia Jurídica Gratuita, lo que se complementó con otros requerimientos, tales como la incorporación a la LOPJ o la de conseguir la firma del Recurso de Casación. Como se puede apreciar, a insistencia, nadie gana a los Graduados Sociales.

Mención especial merece la única reunión mantenida por el Presidente del Consejo con el Ministerio de Empleo y Seguridad, fue el 6 de mayo. El encuentro se celebró con D.ª Engracia Hidalgo Tena, Secretaria de Estado para el Empleo, D. Javier Thibault Aranda, Director General de Empleo y con D.ª María de los Reyes Zataraín del Valle, Directora General del Servicio Público de Empleo Estatal. La Secretaria de Estado de Empleo y el Presidente del Consejo General propusieron medidas para potenciar en el Colectivo las políticas de empleo y la difusión a nivel nacional y por cada provincia de la tipología contractual y sus bondades. Para finalizar, el Sr. San Martín propuso a la Secretaria de Estado, como medida específica para evitar la enorme tardanza que ante los juzgados de lo social sufren los trabajadores y empresarios en cuestiones laborales, la necesidad de potenciar la mediación y arbitraje laboral, reivindicación manifestada tanto en éste como en otros estamentos.

En las reuniones mantenidas con la Tesorería General de la Seguridad Social, se trató sobre el Sistema de Liquidación Directa en la sede madrileña de la TGSS. A la primera reunión acudieron por parte del Consejo dos miembros de la Comisión Permanente: D. Germán Prieto-Puga y D. Javier Nieto. Por parte del Ministerio estuvo presente: D. Andrés Harto, Subdirector General de Afiliación, Cotización y gestión del sistema RED. Este encuentro tuvo como objetivo principal analizar el Sistema de Liquidación Directa que permitiría a la Tesorería tomar un papel activo en el proceso de recaudación, minimizando los errores, optimizando la disposición de la información facilitada a empresas y trabajadores, a través de un modelo de atención personalizado y multicanal que a día de hoy ya es conocido por todos y al que el colectivo ha tenido que adaptarse ante el proceso de modernización de la Seguridad Social.

El segundo contacto lo realizó el Presidente del Consejo General, acompañado por el Tesorero del Consejo, D. Pedro Bonilla Rodríguez. Estaban presentes por parte de la Tesorería General de la Seguridad Social, su Director General, D. Francisco Gómez Ferreiro y D. Andrés Harto Martínez, Subdirector General. Para debatir, entre otras cuestiones del Sistema Cret@.

También, en 2014 se celebraron varios encuentros de especial relevancia. El primero de ellos tuvo lugar en el mes de septiembre, cuando el Sr. San Martín acudió a la sede del Tribunal Supremo, al solemne acto de Apertura del Año Judicial, siendo ésta la primera vez que el Rey Felipe VI presidiese dicho acto tras su proclamación.

Esta presencia que se realiza ante la Sala de Plenos del Tribunal Supremo, en estrados, con toga, con insignia, condecoraciones y todos los honores, junto con el resto de Profesiones Jurídicas, no siempre fue así. Esta posición Institucional costó mucho esfuerzo conseguirla, tras librar una batalla jurídica en reclamación del asiento por derecho propio, algo que al final, la Sala de Gobierno del Tribunal Supremo entendió, indicando que los Graduados Sociales tenían el mismo derecho a ostentar ese lugar que el resto de profesiones jurídicas. Desde 2004, el Presidente del Consejo General asiste puntualmente.

En el mes de noviembre tuvieron lugar dos hechos, uno de reconocimiento y otro de pesar. El primero tuvo lugar en el Acto de Entrega de las Medallas al Mérito en el Trabajo con la presencia de la Ministra de Empleo y de D.ª Soraya Sáenz de Santamaría, Vicepresidenta del Gobierno, se impuso la Medalla al Mérito en el Trabajo en su categoría de oro a D.ª Marina Pacheco Valduesa, Presidenta del Colegio de Graduados Sociales de Cantabria y ex vocal de este Consejo General. Se trató de un acto brillante, en el que se reconocía públicamente a una magnífica profesional y excelente persona, que al año siguiente, por decisión propia y muy meditada, dejó su cargo como Consejera para dedicarse a su gran pasión: su familia. Para todos, ha sido un orgullo coincidir con ella.

La segunda, fue la pérdida de un magnífico amigo y compañero que nos dejó, D. Vicente Cardellach Marzá. Hay personas que a lo largo de su vida el destino les tiene preparada una función y desde luego a Vicente Cardellach tenía como misión la defensa y promoción de la profesión de Graduado Social. Estuvo al frente del Colegio Oficial de Graduados Sociales de Barcelona durante más de 32 años. Logró un colegio modélico en innovación y eficacia. Promulgó siempre el principio de la formación de sus colegiados.

Sobre esta persona, D. Javier San Martín relata que «Cuando nos conocimos, Vicente tenía ya una dilatada experiencia en la dirección de una Corporación de Derecho Público. Yo aportaba mucha ilusión y ganas de hacer cosas. De esta forma, entre los dos, se creó un "tándem" de colaboración que devino en una fuerte amistad. Por todo ello, y precisamente por ese respeto que le tenía toda la profesión, propuse en sesión plenaria del Consejo General la creación del premio "Informe Cardellach" que pretende fomentar la labor investigadora de nuestro colectivo. Con su creación se buscaba premiar aquellos trabajos inéditos, dedicados al estudio concienzudo de aspectos relacionados con el Derecho del Trabajo y la Seguridad Social. Estos estudios deben analizar el ámbito nacional y servir como fuente de información, aportando resultados tangibles, que puedan ser utilizados y divulgados por el Consejo General. Fue de esta manera como sus compañeros le recompensaron todo el trabajo aportado al colectivo».

Al hilo de los reconocimientos y para finalizar este apartado, es preciso referirse a otro miembro destacado del Colegio de Barcelona, que ha formado parte del Consejo General como Vicepresidente 2.º desde el año 2002: D. Francisco Rueda Velasco. Pues bien, este carismático compañero, se supo ganar el aprecio de todos los que conformaban parte de esta institución, por su carácter afable y conciliador, no en vano es un reconocido profesional de su ciudad de ejercicio. En 2014, decidió no presentarse a las elecciones del Consejo y a día de hoy pasa largas estancias en tierras cántabras, donde disfruta del merecido descanso tras largos años de trabajo. Como recompensa a sus años de dedicación, el pleno del Consejo le nombró Vicepresidente de Honor, reconocimiento que aceptó con suma satisfacción.

9. UN PERÍODO DE LUCES Y SOMBRAS

Llegamos, así, ya al último año que se reflejará en este libro, el **año 2015**. Para poner un titular ha sido un periodo de luces y sombras.

En cuanto a las sombras, a finales del pasado año, en el mes de diciembre, se presentó en el Senado la enmienda transaccional núm. 138 al Proyecto de Ley por la que se modifica el texto refundido de la Ley General de la Seguridad Social en relación con el régimen jurídico de las Mutuas de Accidentes de Trabajo y Enfermedades Profesionales de la Seguridad Social. Esta enmienda fue pactada por los grupos políticos con la finalidad de suprimir la «Administración Concertada», por el que las Mutuas sufragaban la labor realizada por los profesionales y las empresas en el Sistema Red. Esta era una medida que amenazaba con convertirse en realidad desde hacía años y que había tenido un intento fallido en 2010. En esa ocasión, se impusieron una serie de incompatibilidades para el ejercicio de los

Graduados Sociales que tuvieran, al tiempo, la condición de Profesor Asociado en una Universidad Pública, así como a los Mediadores de seguros.

Esta corporación decidió remitir a todos los Presidentes de los Colegios una instancia para que la presentaran en la sede de los partidos políticos con representación parlamentaria en su demarcación, para que tuvieran conocimiento de esta situación. Además se envió, una queja formal a la Ministra de Empleo y Seguridad Social.

Asimismo, se paralizaron las relaciones con la Tesorería General de la Seguridad Social, al interrumpir la actividad de los despachos de Graduados Sociales en las pruebas con el Sistema Cret@. También, se suspendieron las comisiones de trabajo del Sistema Red con la Dirección Provincial de la TGSS.

Las respuestas que se obtuvieron de los diferentes representantes de los partidos políticos fueron numerosas y variadas. Incluso el PSOE «circularizó» un informe donde concluía que «*la regulación de las Mutuas contenida en la Ley de Mutuas que acaba de entrar en vigor permite la existencia de la "administración concertada" por parte de las Mutuas, es decir, el uso por estas entidades de los servicios de un tercero, como complemento de su administración directa, para la tramitación de los convenios de asociación, partes de accidentes o cualesquiera otra gestión de índole administrativa, y las mismas deberían poder seguir cargando a la cuenta de gestión de la Seguridad Social los gastos ocasionados, siempre que responden a una prestación real de servicios y dentro de los límites que haya fijado o fije de futuro el Ministerio de Empleo y Seguridad Social*».

Finalmente y sin entender lo que sucedía, ya que el partido que había presentado la enmienda reiteraba que no habían suprimido la «Administración Concertada», se aprobó la Ley 35/2014, de 26 de diciembre, por la que se modifica el texto refundido de la Ley General de la Seguridad Social en relación con el régimen jurídico de las Mutuas de Accidentes de Trabajo y Enfermedades Profesionales de la Seguridad Social, donde recogía la citada enmienda.

La profesión de Graduado Social es la única adscrita al Ministerio de Empleo y Seguridad Social, tiene por tanto especial vinculación en el desarrollo de su trabajo en lo referido a su capacidad profesional a la hora de verificar las liquidaciones y demás documentos que hayan de formalizar empresas y trabajadores en cumplimiento de la legislación laboral y de Seguridad Social, capacidad vigente en la actualidad.

Por tanto, no se pudo entender que desde el propio Ministerio no se informara al colectivo de lo que se estaba gestando, ya que la «Administración Concertada» era un derecho reconocido en la norma que, que servía para remunerar el trabajo que los Graduados Sociales realizan para las empresas ante las Mutuas Colaboradoras de la Seguridad Social, proporcionándolas una información vital para las investigación y el estudio de cada accidente de trabajo y así iniciar a raíz de esta información, su seguimiento y análisis hasta lograr el máximo restablecimiento de personas implicadas y la depuración de las responsabilidades, si hubiera lugar a ellas.

Pues bien, llegados a este punto y a la espera de que la Ministra recibiera al Presidente del Consejo General (que aún sigue esperando), el Director General de Ordenación de la Seguridad Social, daba solución a muchos interrogantes de los que hasta ese momento existían. La duda que planteada era si la modificación legal había suprimido la «Administración Concertada». Desde un punto de vista estrictamente jurídico no era así, porque ni la ley expresamente derogaba las órdenes ministeriales que regulan esta cuestión (Orden TAS/3859/2007, de 27 de diciembre y Orden TIN/221/2009, de 10 de febrero), ni estas órdenes se oponen a la Ley General de la Seguridad Social.

Sin embargo, a efectos prácticos, sí se había derogado, porque el propio Director General de Ordenación de la Seguridad Social así lo entendía. Sin embargo, a juicio del Colectivo, no debería interpretar así la reforma, porque de alguna manera estaba dando prioridad a las instrucciones sobre las órdenes ministeriales, no dejando ningún recorrido para otra interpretación que la derogación de las citadas órdenes reguladoras de la Administración Concertada.

A fecha de la redacción de este libro se está a la espera de que alguna manifestación al respecto del Ministerio de Empleo y Seguridad Social sobre las alegaciones planteadas por la Presidencia del Consejo con el fin de poder recuperar la situación precedente. «Espero que cuando se pase este "impasse" en el que se encuentra España tras las elecciones generales de diciembre de 2015 y se forme el nuevo gobierno, pueda retomar este tema que por diversos motivos se está alargando en el tiempo, y no porque el Consejo General no haya puesto todo su empeño en que se encontrara una solución», ha afirmado D. Javier San Martín.

Su mayor satisfacción, por el contrario, se dio, tras muchos los años de lucha para conseguir el estatus de profesión jurídica con todas la de la Ley. Este importante hito no se ha logrado de cualquier manera. Se obtuvo a través de una Ley Orgánica del Poder Judicial (la Ley Orgánica 7/2015, de 21 de julio, modificó la Ley Orgánica 6/1985, de 1 de Julio, del Poder Judicial), por medio de la cual, se concedió a los Graduados Sociales, con carácter oficial y con rango de igual nivel que otras profesiones jurídicas, la categoría de colaborador de la Administración de Justicia.

Entre otras cuestiones se obliga a los funcionarios de Justicia a *tratar con corrección y consideración a los superiores jerárquicos, compañeros, subordinados, así como a Abogados, Procuradores y Graduados Sociales*.

Al mismo tiempo, establece en su artículo 544, la obligación de prestar juramento o promesa de acatamiento a la Constitución y al resto del ordenamiento jurídico, antes de iniciar nuestro ejercicio profesional. Y en su párrafo segundo de dicho precepto reformado, establece la colegiación obligatoria para actuar ante los Juzgados y Tribunales, definiendo ya, sin temor a que una Ley de Servicios Profesionales pueda descartar, la colegiación obligatoria para nuestra profesión.

Los apartados 1 y 2 del artículo 546 de la reforma, sientan las bases para la posterior incorporación en la Disposición Final Undécima de la Ley 42/2015, de 5 de Octubre, que reforma la Ley 1/2000, de 7 de Enero, de Enjuiciamiento Civil. Si no hubiera sido así, no hubiera salido adelante.

Este juego de cábalas normativas fue planteado por los dirigentes del Ministerio de Justicia, tras largas conversaciones telefónicas, reuniones mantenidas y en ocasiones convocadas de un día para otro.

En la tarde del día 1 de junio de 2015, el Gabinete de la Secretaria de Estado de Justicia, se puso en contacto telefónico directamente con el despacho profesional en León de D. Javier San Martín, para convocarle urgentemente, al día siguiente, en la sede del Ministerio de Justicia, con motivo del desarrollo del Proyecto de Ley de Asistencia Jurídica Gratuita que se estaba tramitando. No había opción, en ningún caso, de valorar otra fecha.

Debido a ello, canceló las reuniones que tenía concertadas con diversos clientes del bufete, así como un juicio señalado para el referido día 2 en el Juzgado de León. Tras gestionar lo que por imperativo era necesario en su despacho, viajó con su vehículo particular desde León a Madrid, teniendo que retrasar la reunión con los responsables del Ministerio de Justicia debido a la necesidad de desplazarse cumpliendo rigurosamente la normativa vial.

La reunión, a la cual se sumó el Vocal Electivo del Consejo General, D. José Luis González Martín, fue como una montaña rusa, primero, porque tras todas las gestiones llevadas a cabo para la inclusión de los Graduados Sociales en la Ley de Asistencia Jurídica Gratuita, comunicaron que se retiraría. Hubo desazón, pues todo el trabajo «se iba al traste». Pero de pronto, la Secretaria de Estado de Justicia, comunicó que dicha incorporación se llevaría a cabo mediante una Disposición en la Ley de Enjuiciamiento Civil, que se estaba reformando en ese momento.

Tanto D. José Luis González Martín como D. Javier San Martín no podían creer lo que acababa de ocurrir, pues la situación que planteaban era mucho mejor de la que inicialmente se había tratado. Ahora al recordar ese momento ambos negociadores siguen sintiendo una gran emoción.

Los meses siguientes fueron de mucha actividad pues, la redacción de la Disposición no satisfacía al Consejo General de la Abogacía de España. La situación fue «peliaguda» en los últimos días hasta la aprobación de la ley:

TEXTO APROBADO POR EL CONGRESO DE LOS DIPUTADOS

Disposición final undécima (antes Disposición final sexta). «Modificaciones y desarrollos normativos.

1. El Gobierno llevará a cabo las modificaciones y desarrollos normativos que sean necesarios para la ejecución de la presente ley.

2. El Gobierno, en el plazo de un año a contar desde la publicación de esta Ley en el "Boletín Oficial del Estado", remitirá a las Cortes Generales, para su aprobación, el proyecto de ley que regule la capacitación profesional exigida a los graduados sociales para actuar en los procedimientos laborales y de Seguridad Social de conformidad con la Ley 36/2011, de 10 de octubre, reguladora de la jurisdicción social, y que determine, entre otros aspectos, el título exigible, la formación especializada y la evaluación a realizar.

Con el fin de elaborar, en el mismo plazo de un año, un estudio sobre los desarrollos normativos necesarios para la adaptación del marco legal que posibilite el acceso de los graduados sociales al sistema de la asistencia jurídica gratuita, se constituirá en el plazo de tres meses una comisión mixta formada por el mismo número de representantes del Consejo General de la Abogacía y del Consejo General de Graduados Sociales, de la que formarán parte los expertos, en igual número, que designe el Ministerio de Justicia».

TEXTO PROPUESTO PARA ENMIENDA POR LA ABOGACÍA

Párrafo segundo, del punto 2:

«**A tal efecto** y con el fin de elaborar, en el mismo plazo de un año, un estudio sobre los desarrollos normativos necesarios para la adaptación del marco legal que posibilite, **en su caso,** el acceso de los graduados sociales al sistema **de representación gratuita**, se constituirá en el plazo de tres meses una comisión mixta formada por el mismo número de representantes del Consejo General de la Abogacía y del Consejo General de Graduados Sociales, de la que formarán parte los expertos, en igual número, que designe el Ministerio de Justicia».

TEXTO PROPUESTO PARA ENMIENDA POR EL CGCOGSE

Párrafo segundo, del punto 2:

« A tal efecto y con el fin de elaborar, en el mismo plazo de un año, un estudio sobre los desarrollos normativos necesarios para la adaptación del marco legal que posibilite, en su caso, el acceso de los graduados sociales al sistema de representación **técnica** gratuita, se constituirá en el plazo de tres meses una comisión mixta formada por el mismo número de representantes del Consejo General de la Abogacía y del Consejo General de Graduados Sociales, de la que formarán parte los expertos, en igual número, que designe el Ministerio de Justicia».

Como se habrá podido observar, las apreciaciones, llegados a este punto, eran de una naturaleza muy sutiles.

Finalmente se aprobó la **Ley 42/2015, de 5 de Octubre**, que reforma la **Ley 1/2000, de 7 de Enero, de Enjuiciamiento Civil,** y en su Disposición final undécima establecía «... *El Gobierno, en el plazo de un año a contar desde la publicación de esta Ley en el «Boletín Oficial del Estado», remitirá a las Cortes*

Generales, para su aprobación, el proyecto de ley que regule la capacitación profesional exigida a los graduados sociales para actuar en los procedimientos laborales y de Seguridad Social de conformidad con la Ley 36/2011, de 10 de octubre, reguladora de la jurisdicción social, y que determine, entre otros aspectos, el título exigible, la formación especializada y la evaluación a realizar.

A tal efecto y con el fin de elaborar, en el mismo plazo de un año, un estudio sobre los desarrollos normativos necesarios para la adaptación del marco legal que posibilite, en su caso, el acceso de los graduados sociales al sistema de representación técnica gratuita, se constituirá en el plazo de tres meses una comisión mixta formada por el mismo número de representantes del Consejo General de la Abogacía y del Consejo General de Graduados Sociales, de la que formarán parte los expertos, en igual número, que designe el Ministerio de Justicia».

En suma, en este año 2015, en lo que se refiere a la profesión en el entorno jurisdiccional, se alcanzaron las más altas metas y se ha consagrado el buen hacer de la profesión ante los Juzgados de lo Social.

Queda aún pendiente obtener el Recurso de Casación, la firma de los Graduados Sociales en dicho Recurso. Deben comprender las Altas Instancias de la Administración en esta materia, que no es de recibo que nuestro Colectivo no pueda firmar los Recursos de Casación y de Casación para la Unificación de Doctrina ante el Tribunal Supremo, recursos que se hacen en los despachos de los Graduados Sociales, pero que deben acudir a un abogado para que estampe su firma, en la mayoría de los casos, pidiendo un favor y en otros, pagando por ello.

Es de auténtica Justicia que al igual que estos profesionales pueden firmar cualquier recurso, incluido el de Suplicación ante los Tribunales Superiores de Justicia, que se puedan firmar también los Recursos de Casación, pero sobre esta cuestión existe el convencimiento generalizado que se logrará muy pronto.

La profesión centra ahora sus esfuerzos en que la Comisión Mixta que se constituya en el Ministerio de Justicia, reforme la legislación relevante, concentrándose en su mayor parte, en la reforma de la Ley 1/1996 de Asistencia Jurídica Gratuita, además de otros textos como la Ley 36/2011, de 10 de octubre, de la Jurisdicción Social.

Igualmente hay que poner en marcha, una vez diseñado, los requisitos para acceder a la profesión, con su consiguiente máster de acceso y examen de Estado.

Como podrá constatar el lector, hay mucho que hacer para que el colectivo de Graduados Sociales siga avanzando en las diferentes ramas que le competen, y por ello, al igual que finalizaba la segunda edición de este libro, queda abierta a una nueva actualización dentro de unos años, pues los logros que se van a alcanzar serán suficiente motivo para ello.

VII

BIBLIOGRAFÍA

AA.VV.: *Los Graduados Sociales en España*, Madrid (Consejo General de Colegios Oficiales de Graduados Sociales), 1983.

– *Los estudios de Graduado Social*, Madrid (Fundación Universidad-Empresa), 1985.

– *I Jornadas sobre la Enseñanza en las Relaciones Laborales*, Huelva, 1996.

– *Graduados Sociales y Diplomados en Relaciones Laborales. Funciones y cometidos*, Barcelona (MUTUAL CYCLOPS), 1998.

– (Ortega Esteban, J., Ed.): *Relaciones sociolaborales. Aspectos jurídicos, económicos y sociales*, Salamanca, 1993.

– (Dueñas Herrero, L.J., Dir.): *I Congreso de Castilla y León sobre Relaciones Laborales*, Valladolid, 1999.

Albizu Gallastegi, E. y López de Gereño Zárraga, A.: «Contenido formativo y salidas profesionales del Diplomado en Relaciones Laborales: reflexiones desde el análisis de la oferta de empleo en el área del RH [Recursos Humanos]», *Revista Técnico Laboral*, núm. 82, 1999.

Alonso Olea, M.: *Introducción al Derecho del Trabajo*, Madrid (Civitas), 6.ª ed., 2002.

Borrajo Dacruz, E.: *Introducción al derecho del Trabajo*, Madrid (Tecnos), 13.ª ed., 2003.

CONSEJO GENERAL DE COLEGIOS OFICIALES DE GRADUADOS SOCIALES: *La Escuela Social. Disposiciones oficiales sobre su constitución y funcionamiento*, prologado por D. José Blas Fernández Sánchez.

De la Villa Gil, L. E.: *La formación histórica del Derecho Español del Trabajo*, Granada (Comares), 2003.

Dios Durán, J. M.: *El Graduado Social. Orígenes y legitimidad de sus funciones Profesionales*, Madrid (Colegio Oficial de Graduados Sociales de Madrid-CYCLOPS), 1.ª ed., 2005.

García de Cortázar, F.: *Historia de España. De Atapuerca al euro*, Barcelona (Planeta), 2004.

GÓMEZ GARCÍA, G.: *Escuelas Sociales y Seminarios de Estudios. Memoria del curso 1944-1945*, Madrid (Gráficas Barragán), 1946.

MARTÍN VALVERDE, A.; RODRÍGUEZ-SAÑUDO GUTIÉRREZ, F. y GARCÍA MURCIA, J.: *Derecho del Trabajo*, Madrid (Tecnos), 8.ª ed., 1999.

MARTÍNEZ BARROSO, M.ª R. y RODRÍGUEZ ESCANCIANO, S.: *El espacio Profesional del Graduado Social y del Licenciado en Ciencias del Trabajo*, León (Universidad), 2004.

MONTOYA MELGAR, A.: *Derecho del Trabajo*, Madrid (Tecnos), 16.ª ed., 1995.

REAL VILLAREAL, M.: *Los graduados sociales. La construcción social de la profesión y el Estado del Bienestar en España*, Alicante (Universidad de Alicante), 2006.

REDECILLA Y YANES, N.: *Las Escuelas Sociales: pasado, presente y futuro*, Salamanca (Escuela Social), 1982.

RICCARDI, R.: *El Graduado Social del siglo XXI*, Valencia (Consejo Valenciano de Graduados Sociales), 1999.

RODRÍGUEZ SANTANA, F. A. y OJEDA MEDINA, F.: *Historia colegial, profesional y académica de los Graduados Sociales y Diplomados en Relaciones Laborales de España*, Las Palmas (Colegio Oficial de Graduados Sociales y Diplomados en Relaciones Laborales de Las Palmas), 1995.

SEMPERE NAVARRO, A. V.: «El nuevo plan de estudios de los graduados sociales», *Revista Técnico Laboral*, núm. 49, 1991.

– «La licenciatura en ciencias del trabajo: primeras impresiones tras el RD 1592/1999, de 15 de octubre», *Aranzadi Social*, núm. 15, 1999.

TÁRRAGA POVEDA, J.: *La representación y defensa en juicio por Graduado Social*, Murcia (Laborum), 2001.

UNZUETA ALBERDI, I. y URRUELA RODRÍGUEZ, V.: «La profesión de Graduado Social y de Diplomado en Relaciones Laborales: identidad y futuro», *Revista Técnico Laboral*, núm. 80, 1999.

URRUELA RODRÍGUEZ, V. y URRUTIKOETXEA BARRUTÍA, M.: «Sociografía de una profesión. Graduados Sociales *versus* Diplomados en Relaciones Laborales», *Revista Técnico Laboral*, núm. 68, 1996.

VÁZQUEZ BONOME, A.: *La responsabilidad profesional del graduado social*, Valladolid (Lex Nova), 1990.

Publicaciones periódicas:

Revista del Consejo General de Graduados Sociales. Nueva Época. Núms. 1 a 20.

Revista Técnico Laboral. Núms. 1 a 120.

ANEXO FOTOGRÁFICO

SUMARIO FOTOGRAFÍAS

1º) Años 1956-1978

2º) Actividad Institucional del Consejo General de Graduados Sociales

- Asambleas Generales
- Asambleas de Juntas de Gobierno
- Encuentro con el Consejo General del Poder Judicial
- Congreso Iberoamericano
- Encuentro Consulenti del lavoro

3º) Audiencias Casa Real

- Príncipe de Asturias (D. Juan Carlos) (años 70)
- Audiencia con SM el Rey D. Juan Carlos I
- Audiencia con SM el Rey D. Juan Carlos I
- Audiencia con el Principe de Asturias. D. Felipe de Borbón y Grecia
- Audiencia con SM el Rey D. Felipe VI

4º) Audiencias Presidencia del Gobierno

- D. José María Aznar
- D. José Luis Rodríguez Zapatero

5º) Apertura del Año Judicial

- Año 2016

6º) Reuniones Ministros Trabajo

7º) Ministros de Justicia

- Reuniones

8º) Orden de San Raimundo de Peñafort

9º) Real Academia de Jurisprudencia y Legislación

10º) Fundación Justicia Social

- Escuela de Práctica Profesional Alonso Olea
- Escuela de Verano José Luis García Bigoles
- Desayunos Foro Social
- Ciclo reflexiones

AÑOS 1956-1978

AUDIENCIAS EN EL PALACIO DE PEDRALBES

En el Palacio de Pedralbes, S. E. el Jefe del Estado recibió ayer por la mañana, a las principales corporaciones y personalidades de la región en sucesivas audiencias.

Ofrecemos información gráfica de las más relevantes:

1. Comisión de representantes de los tres Ejércitos, presidida por el Capitán General de la IV Región Militar, don Alfonso Pérez Viñeta.
2. Ayuntamiento de Barcelona, encabezado por don José M.ª de Porcioles, alcalde de la ciudad.
3. Consejeros Nacionales, entre los que figuraba don Miguel Mateu Plá.
4. Directores de los periódicos barceloneses, entre los que figuraba don José Tarín-Iglesias, director de DIARIO DE BARCELONA.
5. Consejo Superior del Colegio de Graduados Sociales, presidido por don Joaquín Fom.
6. Diputación Provincial de Barcelona, encabezada por don José M.ª de Muller y Abadal.
7. Doctor Hermenegildo Arruga Lido, conde de Arruga.

(Fotos Sáenz Guerrero)

LA VANGUARDIA

ESPAÑOLA

BARCELONA (1)

Miércoles, 24 de junio de 1970

FUNDADORES: DON CARLOS Y DON BARTOLOMÉ GODÓ

Redacción y Admón: PELAYO, 28
Teléfono: 221-41-35 (6 líneas)
«TELEX» 54.530 y 54.781

Precio de este ejemplar: **4 ptas.**

Año LXXXVI - Número 32.363

Audiencias de S. E. el Jefe del Estado, en Pedralbes

Ayer por la mañana, S. E. el Jefe del Estado recibió, en el Palacio de Pedralbes, a diversas personalidades y representantes de entidades, de cuyas audiencias recogemos en esta página unas notas gráficas. 1. — Diputación Provincial de Barcelona, acompañada del ministro de la Gobernación. 2. — Ejércitos de Tierra, Mar y Aire. 3. — Ayuntamiento de nuestra ciudad. 4. — Secretario de Defensa de los Estados Unidos, con el ministro español de Asuntos Exteriores y el embajador de Washington en Madrid. 5. — Directores de los periódicos de Barcelona, acompañados del ministro de Información y Turismo. 6. — Director del Colegio Oficial de Graduados Sociales, don Joaquín Forn, acompañado del ministro de Trabajo ●

(Fotos Pérez de Rozas y Campúa)

ACTIVIDAD INSTITUCIONAL DEL CONSEJO GENERAL DE GRADUADOS SOCIALES

ASAMBLEAS Y CONGRESOS

Mesa presidencial de la Asamblea Nacional bajo la presidencia de D. Enrique Manzano Sanmartín

CARTEL DE LA VIII ASAMBLEA
NACIONAL DE GRADUADOS
SOCIALES

X CONGRESO NACIONAL, LAS PALMAS DE GRAN CANARIA, 1995

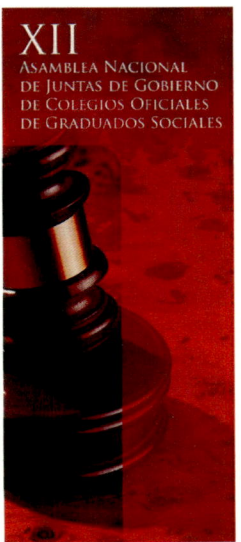

La Ministra de trabajo, Dña. Fátima Báñez clausurando el XII Asamblea Nacional de Juntas de Gobierno celebrado en la ciudad de Cádiz

El Ministro de la Presidencia, D. Ramón Jáuregui Atondo inaugurando las XIII Asamblea Nacional de Graduados Sociales celebrado en Granada.

ENCUENTROS CON EL CONSEJO GENERAL DEL PODER JUDICIAL

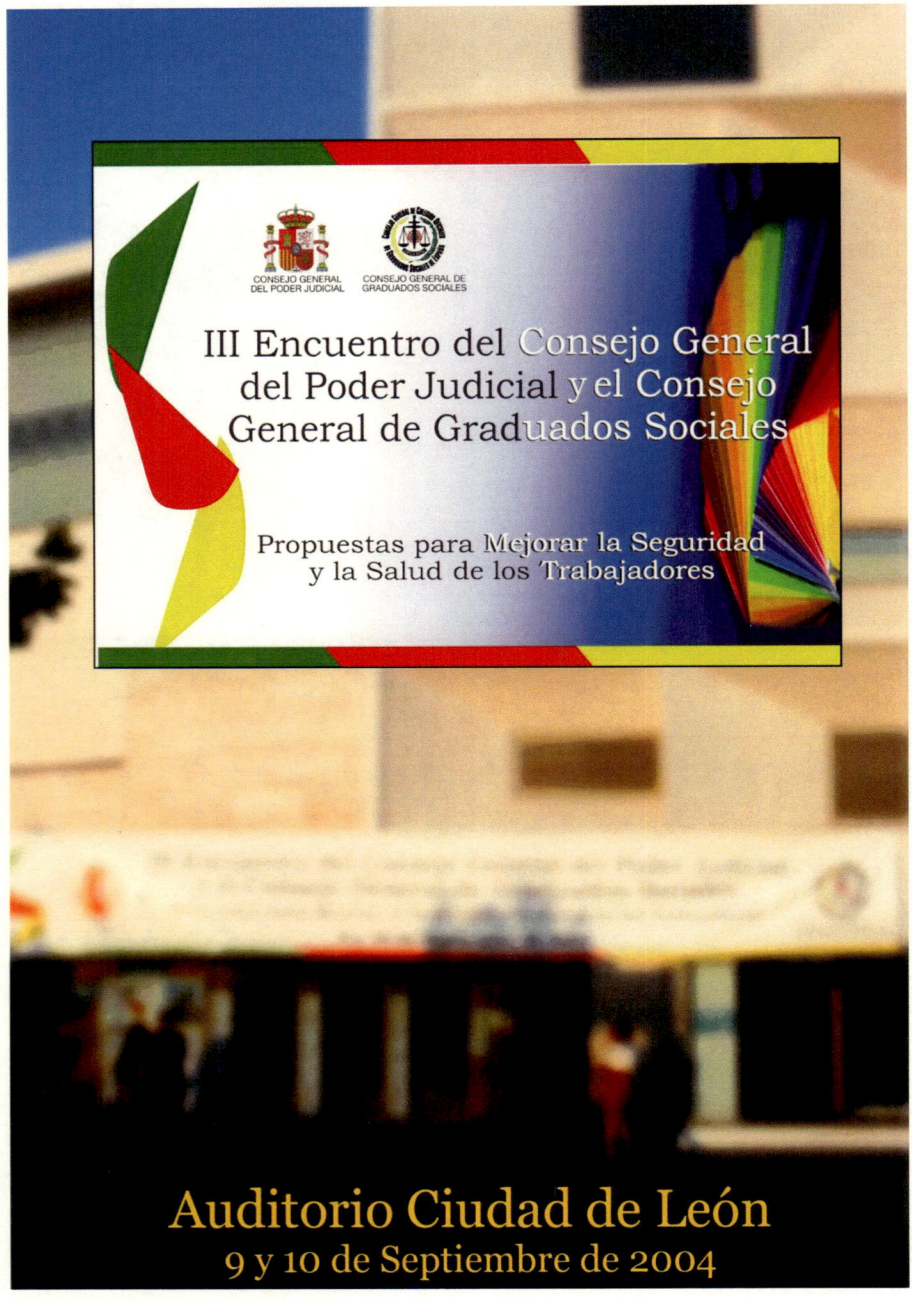

El Ministro de Justicia, D. Juan Fernando López Aguilar clausurando el V Encuentro entre los Consejos Generales del Poder Judicial y de Graduados Sociales

CONGRESO IBEROAMERICANO DE DERECHO DEL TRABAJO Y
  SEGURIDAD SOCIAL

REUNIONES HISPANO ITALIANAS.–CONSULENTI DEL LAVORO

Cumbre Hispano Italiana en Lanzarote

Reunión en Roma con Marina Calderone, Presidenta de de los Consulenti del
Lavoro de Italia

AUDIENCIAS CASA REAL

Audiencia en el Palacio de la Zarzuela con el Príncipe de Asturias D. Juan Carlos bajo la presidencia de D. Enrique Manzano Sanmartín

Audiencia del Príncipe de Asturias, D. Felipe de Borbón al Pleno del Consejo General de Graduados Sociales en el Palacio de la Zarzuela bajo la presidencia de D. Javier San Martín Rodríguez

Audiencia de su Majestad el Rey D. Juan Carlos I al Pleno del Consejo General de Graduados Sociales en el Palacio de la Zarzuela bajo la presidencia de D. Javier San Martín Rodríguez

Audiencia de su Majestad el Rey D. Juan Carlos I con motivo de la entrega de la Gran Cruz de la Justicia Social al Pleno del Consejo General de Graduados Sociales en el Palacio de la Zarzuela bajo la presidencia de D. Javier San Martín Rodríguez

Audiencia de Su Majestad el rey Felipe VI al Pleno del Consejo General de Graduados Sociales de España con motivo de la entrega de la Gran Cruz de la Justicia Social en el Palacio de la Zarzuela bajo la presidencia de D. Javier San Martín Rodríguez.

AUDIENCIAS PRESIDENCIA DEL GOBIERNO

Inauguración por el Presidente del Gobierno, D. Jose María Aznar de la sede de la Calle Rafael Calvo bajo la presidencia de D. José Blas Fernández Sánchez.

En la foto están a la izquierda el Presidente del Consejo General de Graduados Sociales, D. José Blas Fernández Sanchez y los Expresidentes del Consejo General, D. Francisco Rojo, D. Alberto Ezpondaburu Poy y D. Joaquin Forn Costa.

Audiencia del Presidente del Gobierno, José Luis Rodríguez Zapatero al Pleno del Consejo General de Graduados Sociales en en el Palacio de la Moncloa bajo la presidencia de D. Javier San Martín Rodriguez

Reunión con el Ministro de la Presidencia, D. Ramón Jáuregui. De izquierda a derecha, D. Pedro Bonilla, Tesorero del CG, el Ministro Jáuregui, el Presidente del CG, D. Javier San Martín y el Secretario General del CG, D. Jose Ramón Vela.

APERTURA DEL AÑO JUDICIAL

Desde el año 2004, los Graduados Sociales acuden en iguales condiciones (con toga y en estrados) que el resto de las profesiones jurídicas al acto de Apertura del Año Judicial.

D. Javier San Martín Rodríguez con su Majestad el Rey Juan Carlos I

D. Javier San Martín Rodríguez con su Majestad el Rey Felipe VI

REUNIONES MINISTROS TRABAJO

Inauguración de la sede de Consejo General de Graduados Sociales en Torre Pi-
casso con la presencia del Ministro de Trabajo, D. José Antonio Griñan bajo la
presidencia de D. Francisco Rojo.

Reunión del Presidente del Consejo General, D. Javier San Martín Rodríguez y del Presidente del Colegio Oficial de Graduados Sociales de Barcelona, D. Vicente Cardellach con el Ministro de Trabajo, D. Eduardo Zaplana.

Reunión del Presidente del Consejo General, D. Javier San Martín Rodríguez con el Ministro de Trabajo, Jesús Caldera.

Reunión del Presidente del Consejo General, D. Javier San Martín Rodríguez con el Ministro de Trabajo, Celestino Corbacho

Javier San Martín con la Ministra de Trabajo, Dña. Fátima Báñez

MINISTROS DE JUSTICIA

Ministro de Justicia, D. Ángel Acebes Paniagua

Ministro de Justicia, D. Juan Fernando López Aguilar

Ministro de Justicia, D. Mariano Fernández Bermejo

Ministro de Justicia, Francisco Caamaño

Ministro de Justicia, D. Alberto Ruiz Gallardón

Ministro de Justicia, D. Rafael Catalá Polo

ORDEN DE SAN RAIMUNDO DE PEÑAFORT

En el BOE del 13 de noviembre del 2004 se publica la concesión de la Gran Cruz de la Orden de San Raimundo de Peñafort para el Presidente del Consejo General de Graduados Sociales de España, D. Javier San Martín Rodríguez, que se convierte en el primer Graduado Social en recibir esta Condecoracion que le fue impuesta el 28 de marzo de 2005 en la sede del Ministerio de Justicia a manos del Ministro Juan Fernando López Aguilar.

GRAN CRUZ DE LA JUSTICIA SOCIAL

En el Pleno del 18 de diciembre del 2010 se aprobó la creación de la Gran Cruz de la Justicia Social , convirtiéndose en la máxima condecoración que el Colectivo de Graduados Sociales puede otorgar a una persona o a una entidad por actos y/o hechos relevantes con un significado especial para el mundo de la Justicia Social

Gran Cruz de la Justicia Social año 2011 para el Presidente del Colegio Oficial de Graduados Sociales de Barcelona, D. Vicente Cardellach Marzá.

Gran Cruz de la Justicia Social año 2012 para Su Majestad el Rey D. Juan Carlos I de España.

Gran Cruz de la Justicia Social año 2014 para su Majestad el Rey D. Felipe VI de España

Gran Cruz de la Justicia Social año 2015 para el Ministro de Justicia, D. Rafael Catalá Polo

REAL ACADEMIA DE JURISPRUDENCIA Y LEGISLACIÓN

Ingreso del Presidente del Consejo General de Graduados Sociales de España, D. Javier San Martín Rodríguez como Académico correspondiente en la Real Academia de Jurisprudencia y Legislación.

FUNDACIÓN JUSTICIA SOCIAL
ESCUELA DE PRÁCTICA PROFESIONAL ALONSO OLEA

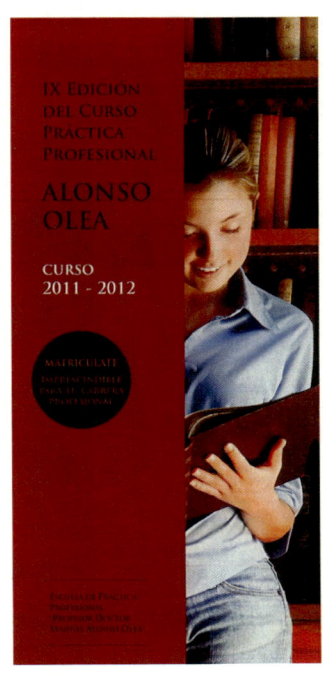

Inauguración de la Escuela de Práctica Profesional Alonso Olea por la Presidenta del Tribunal Constitucional, Dña. Maria Emilia Casas Baamonde, y lección Magistral a cargo de D. German Barreiro, Catedrático de Derecho del Trabajo y Seguridad Social de la Universidad de León.

Clausura de la Escuela de Práctica Profesional Alonso Olea por el Vicepresidente del Consejo General del Poder Judicial, D.Fernando de Rosa.

ESCUELA DE VERANO JOSÉ LUIS GARCIA BIGOLES

Colaboran.

Inauguración de la II Edición de la Escuela de Verano José Luis García Bigoles en el Hotel Reconquista de Oviedo.

Aforo de alumnos Escuela de Verano José Luis García Bigoles

PLATAFORMA PARA LA FORMACIÓN PROFESIONAL PARA EL EMPLEO

DESAYUNOS FORO SOCIAL

Mano a mano entre Javier San Martín Rodríguez, Presidente del Consejo General de Graduados Sociales y Martín Godino, Presidente de la Asociación Nacional de Abogados Laboralistas (ASNALA), moderado por los periodistas Gloria Serra de Antena 3 y por Xavier Gil Pecharromán del periódico el Economista.

CICLO DE CONFERENCIAS «REFLEXIONES JURÍDICAS»

Reflexiones juridicas con Enrique López, Magistro de la Audiencia Nacional y Javier San Martín, Presidente del Consejo General de Graduados Sociales de España moderado por Manuel Marhuenda, director del períodico La Razón.

COMISIÓN PERMANENTE

CARGO	CARGO	NOMBRE Y APELLIDOS
Presidente	del Consejo General de Colegios Oficiales de Graduados Sociales de España	Excmo. Sr. D. Fco. Javier San Martín Rodríguez
Vicepresidente 1º	del Consejo General de Colegios Oficiales de Graduados Sociales de España	Ilmo. Sr. D. Francisco A. Rodríguez Nóvez
Vicepresidente 2º	del Consejo General de Colegios Oficiales de Graduados Sociales de España	Ilmo. Sr. D. Joaquín Merchán Bermejo
Secretario General	del Consejo General de Colegios Oficiales de Graduados Sociales de España	
Tesorero	del Consejo General de Colegios Oficiales de Graduados Sociales de España	Ilmo. Sr. D. Pedro Bonilla Rodríguez
Vicesecretario	del Consejo General de Colegios Oficiales de Graduados Sociales de España	Ilmo. Sr. D. Germán Prieto-Puga Somoza
Vicetesorero	del Consejo General de Colegios Oficiales de Graduados Sociales de España	Ilmo. Sr. D. Alfonso Hernández Quereda
Vocal Electivo	del Consejo General de Colegios Oficiales de Graduados Sociales de España	Ilmo. Sr. D. Carlos Puebla Lorente
Vocal Electivo	del Consejo General de Colegios Oficiales de Graduados Sociales de España	Ilmo. Sr. D. Rafael Ruiz Calatrava
Vocal Electivo	del Consejo General de Colegios Oficiales de Graduados Sociales de España	Ilmo. Sr. D. Javier Nieto García
Vocal E. No Ejerciente	del Consejo General de Colegios Oficiales de Graduados Sociales de España	Ilmo. Sr. D. José Luis González Martín

PRESIDENTES DE COLEGIOS OFICIALES DE GRADUADOS SOCIALES

DENOMINACIÓN	NOMBRE Y APELLIDOS
Ilustre Colegio Oficial de Graduados Sociales de Albacete	Ilmo. Sr. D. José Luis Sánchez López
Ilustre Colegio Oficial de Graduados Sociales de Alicante	
Ilustre Colegio Oficial de Graduados Sociales de Almería	Ilmo. Sr. D. Miguel Angel Tortosa López
Ilustre Colegio Oficial de Graduados Sociales de Araba	Ilmo. Sr. D. José Antonio Landaluce Pérez de Turiso
Ilustre Colegio Oficial de Graduados Sociales de Asturias	Ilmo. Sr. D. Francisco Antonio Martos Presa
Ilustre Colegio Oficial de Graduados Sociales de Ávila	Ilmo. Sr. D. Jesús Díaz Blázquez
Ilustre Colegio Oficial de Graduados Sociales de Badajoz	Ilmo. Sr. D. José Manuel Giraldo García
Ilustre Colegio Oficial de Graduados Sociales de Barcelona	Ilmo. Sr. D. Carlos Berruezo del Río
Ilustre Colegio Oficial de Graduados Sociales de Bizkaia	Ilmo. Sr. D. Bartolomé Aristegui Mairal
Ilustre Colegio Oficial de Graduados Sociales de Burgos	Ilmo. Sr. D. Antonio Marañón Sedano
Ilustre Colegio Oficial de Graduados Sociales de Cáceres	Ilmo. Sr. D. Francisco Javier Ceballos Fraile
Ilustre Colegio Oficial de Graduados Sociales de Cádiz y Ceuta	Ilmo. Sr. D. José Blas Fernández Sánchez
Ilustre Colegio Oficial de Graduados Sociales de Cantabria	Ilma. Sra. Dña. Marina Pacheco Valduesa
Ilustre Colegio Oficial de Graduados Sociales de Castellón	Ilmo. Sr. D. J. Benjamín Beltrán Miralles
Ilustre Colegio Oficial de Graduados Sociales de Ciudad Real	Ilma. Sra. Dña. Patricia Plaza Martín
Ilustre Colegio Oficial de Graduados Sociales de Córdoba	
Ilustre Colegio Oficial de Graduados Sociales de A Coruña y Ourense	Ilma. Sra. Dña. Susana Soneira Lema

DENOMINACIÓN	NOMBRE Y APELLIDOS
Ilustre Colegio Oficial de Graduados Sociales de Guipúzkoa	Ilmo. Sr. D. Francisco Javier Barberena Eceiza
Ilustre Colegio Oficial de Graduados Sociales de Gran Canaria y Fuerteventura	Ilmo. Sr. D. José Ramón Dámaso Artiles
Ilustre Colegio Oficial de Graduados Sociales de Granada	Ilmo. Sr. D. J. Esteban Sánchez Montoya
Ilustre Colegio Oficial de Graduados Sociales de Huelva	Ilma. Sra. Dña. Mª Isabel González Benítez
Ilustre Colegio Oficial de Graduados Sociales de Illes Balears	Ilmo. Sr. D. José Javier Bonet Llull
Ilustre Colegio Oficial de Graduados Sociales de Jaén	Ilmo. Sr. D. Francisco A. Rodríguez Nóvez
Ilustre Colegio Oficial de Graduados Sociales de Lanzarote	Ilma. Sra. Dña. Carmen Lourdes Rodríguez Rodríguez
Ilustre Colegio Oficial de Graduados Sociales de León	Ilmo. Sr. D. José Ismael Barroso Castañón
Ilustre Colegio Oficial de Graduados Sociales de Lugo	Ilmo. Sr. D. Manuel Núñez Carreira
Ilustre Colegio Oficial de Graduados Sociales de Madrid	Ilma. Sra. Dña. Mª Antonia Cruz Izquierdo
Ilustre Colegio Oficial de Graduados Sociales de Málaga y Melilla	Ilmo. Sr. D. Juan Fernández Henares
Ilustre Colegio Oficial de Graduados Sociales de Murcia	Ilmo. Sr. D. José Ruiz Sánchez
Ilustre Colegio Oficial de Graduados Sociales de Navarra	Ilmo. Sr. D. Francisco J. Plágaro Aróstegui
Ilustre Colegio Oficial de Graduados Sociales de Palencia	Ilma. Sra. Dña. Ester Urraca Fernández
Ilustre Colegio Oficial de Graduados Sociales de Pontevedra	Ilmo. Sr. D. Raul Eugenio Gómez Villaverde
Ilustre Colegio Oficial de Graduados Sociales de Rioja, La	Ilmo. Sr. D. Javier Nieto García
Ilustre Colegio Oficial de Graduados Sociales de Salamanca	Ilmo. Sr. D. Angel Santiago Castilla Corral
Ilustre Colegio Oficial de Graduados Sociales de Santa Cruz de Tenerife	Ilmo. Sr. D. Carlos A. Bencomo González
Ilustre Colegio Oficial de Graduados Sociales de Segovia	Ilmo. Sr. D. José Luis Benito Bermejo
Ilustre Colegio Oficial de Graduados Sociales de Sevilla	Ilmo. Sr. D. Rafael Hidalgo Romero
Ilustre Colegio Oficial de Graduados Sociales de Soria	Ilmo. Sr. D. Joaquín García Bravo
Ilustre Colegio Oficial de Graduados Sociales de Tarragona	Ilma. Sra. Dña. Anna María Asamà Esteve

DENOMINACIÓN	NOMBRE Y APELLIDOS
Ilustre Colegio Oficial de Graduados Sociales de Valencia	Ilmo. Sr. D. Ricardo Gabaldón Gabaldón
Ilustre Colegio Oficial de Graduados Sociales de Valladolid	Ilmo. Sr. D. Carlos Varona Movellán
Ilustre Colegio Oficial de Graduados Sociales de Zamora	Ilmo. Sr. D. Luis Martín de Uña
Ilustre Colegio Oficial de Graduados Sociales de Zaragoza	Ilmo. Sr. D. Ignacio José Casorrán Royo

ALMERÍA: Hasta septiembre 2015	Ilmo. Sr. D. Miguel Angel Tortosa López
ALMERÍA: Resto del año 2015	Ilma. Sra. Dª Mª del Mar Ayala Andújar

CANTABRIA: Hasta septiembre 2015	Ilma. Sra. Dª Marina Pacheco Valduesa
CANTABRIA: Resto del año 2015	Ilma. Sra. Dª Mª Belén Campos Echevarría

RELACIÓN CONDECORADOS S.R.PEÑAFORT

NOMBRE/APELLIDOS	CATEGORÍA	MES	AÑO
Excmo. Sr. D. Francisco Javier San Martín Rodríguez	Gran Cruz	Noviembre	2004
Ilmo. Sr. D. Francisco A. Rodríguez Santana	Cruz de Honor	Diciembre	2006
Ilmo. Sr. D. Francisco A. Rodríguez Nóvez	Cruz de Honor	Junio	2015
Ilmo. Sr. D. José Luis García Bigoles	Segunda Clase	Junio	2006
Excmo. Sr. D. José Blas Fernández	Cruz de Honor	Junio	2012
Ilmo. Sr. D. Alfonso Hernández Quereda	Segunda Clase	Junio	2010
Ilmo. Sr. D. José A. Landaluce Perez de Turiso	Segunda Clase	Junio	2010
Ilmo. Sr. D. Ricardo Galbaldón Gabaldón	Primera Clase	Junio	2015
Ilmo. Sr. D. Jesús Díaz Blázquez	Segunda Clase	Junio	2011
Ilmo. Sr. D. Pedro Bonilla Rodríguez	Segunda Clase	Diciembre	2011
Ilmo. Sr. D. José Ruiz Sánchez	Segunda Clase	Diciembre	2011
Ilmo. Sr. D. Rafael Hidalgo Romero	Segunda Clase	Diciembre	2011
Ilmo. Sr. D. Antonio Marañón Sedano	Primera Clase	Diciembre	2012
Ilmo. Sr. D. José Conesa Ballestero	Segunda Clase	Diciembre	2012
Ilma. Sra. Dña. Dolores Bejarano Díaz	Segunda Clase	Diciembre	2012
Ilmo. Sr. D. Manuel Núñez Carreira	Segunda Clase	Junio	2013
Ilmo. Sr. D. Francisco Antonio Martos Presa	Segunda Clase	Junio	2013
Ilmo. Sr. D. José Luis Sánchez López	Segunda Clase	Junio	2013
Ilmo. Sr. D. José María Domínguez Ruiz	Segunda Clase	Junio	2013
Ilmo. Sr. D. Francisco Javier Barberena Eceiza	Segunda Clase	Diciembre	2013
Ilma. Sra. Dña. Mª Antonia Cruz Izquierdo	Segunda Clase	Diciembre	2013
Ilmo. Sr. D. Luis Martín de Uña	Segunda Clase	Diciembre	2014
Ilmo. Sr. D. Daniel Ojeda Vargas	Segunda Clase	Diciembre	2014
Ilmo. Sr. D. José Esteban Sánchez Montoya	Segunda Clase	Diciembre	2014
Ilmo. Sr. D. Miguel Ángel Tortosa López	Segunda Clase	Diciembre	2014
Ilmo. Sr. D. Germán Prieto-Puga Somoza	Segunda Clase	Diciembre	2014

NOMBRE/APELLIDOS	CATEGORÍA	MES	AÑO
Ilmo. Sr. D. Juan Fernández Henares	Segunda Clase	Diciembre	2014
Ilmo. Sr. D. Joaquín Merchán Bermejo	Segunda Clase	Diciembre	2015
Ilmo. Sr. D. Javier Nieto García	Segunda Clase	Diciembre	2015
Ilmo. Sr. D. José Ramón Barrera Hurtado	Segunda Clase	Diciembre	2015
Ilmo. Sr. D. Francisco Rueda Velasco	Segunda Clase	Junio	2016
Ilmo. Sr. D. José Ramón Vela Fernández	Segunda Clase	Junio	2016
Ilmo. Sr. D. Carlos Berruezo del Río	Segunda Clase	Junio	2016